Krise des Denkens

Unterscheidung

Christliche Orientierung
im religiösen Pluralismus

Herausgegeben von
Reinhart Hummel und Josef Sudbrack

Reinhart Hummel, Reinkarnation
Josef Sudbrack, Mystik
Wolfram Janzen, Okkultismus
Bernhard Wenisch, Satanismus
Thomas Broch, Pierre Teilhard de Chardin
Siegfried Böhringer, Astrologie
Bruno Heller, Krise des Denkens
Hans Joachim Türk, Postmoderne

Bruno Heller

Krise des Denkens

Matthias-Grünewald-Verlag Mainz
Quell Verlag Stuttgart

CIP-Titelaufnahme der Deutschen Bibliothek

Heller, Bruno:
Krise des Denkens / Bruno Heller. –
Mainz: Matthias-Grünewald-Verl.; Stuttgart: Quell-Verl., 1990
(Unterscheidung)
ISBN 3-7867-1522-X (Matthias-Grünewald-Verl.)
ISBN 3-7918-2280-2 (Quell-Verl.)

Umschlag: Peter Offenberg Grafik
Abbildung: Auguste Rodin, Der Denker (1880)
Gesamtherstellung: Georg Aug. Walter's Druckerei GmbH,
6228 Eltville am Rhein

Christliche Orientierung im religiösen Pluralismus

Zum Anliegen der Reihe „Unterscheidung"

Wo christlicher Glaube lebt, lebt auch der Mut zum Unterscheiden. Von Paulus her (Gabe der Unterscheidung, 1 Kor 12,10) spannt sich der Bogen bis hin zur Gegenwart, zu Karl Barths „Nein" und Romano Guardinis „Unterscheidung des Christlichen". Gemeint ist stets ein Zweifaches: Unterscheiden, um deutlicher zu erkennen, besser zu verstehen und sich tiefer anzueignen; aber auch unterscheiden, um das Falsche vom Wahren abzusondern, das Gute vor dem Bösen zu schützen und das Wirkliche vom Illusionären zu unterscheiden. Stets erfuhr man dabei, daß ein wirkliches Prüfen (Röm 12,2; Eph 5,10) zum Selbstprüfen wird (Matth 6,22f; 7,3ff): Ob man Gottes Ruf in die Gegenwart hinein vernimmt oder sich ihm verschließt (Hebr 4,7ff). Und stets wußte man, daß im eigenen Mühen um Unterscheidung und Beurteilung Gottes Geist vernehmbar wird und daß das Sprechen aus der Kraft des Geistes (Joh 14,26; 16,7) niemanden vom eigenen Beurteilen dispensiert.

Die Zeit des Glaubens an die Machbarkeit aller Dinge, des blinden Vertrauens in Wissenschaft und Technik, ist vorbei. Die Zukunft des Menschengeschlechts ist dunkel geworden. Der Fortschrittsoptimismus ist umgeschlagen in Skepsis und Angst. Das ist der Boden, aus dem neue religiöse und weltanschauliche Phänomene erwachsen: Diffuse Trends, neue Bewegungen, rettende Archen. Der alte Machbarkeitsglaube sucht nach neuen Hebeln: Nach Therapien und Techniken der Bewußtseinsveränderung, nach esoterischen Erkenntnissen und okkulten Hilfen zur Lebensmeisterung. Aber auch die Sehnsucht nach Transzendenz und Geheimnis meldet sich, das Verlangen nach metaphysischer Geborgenheit und religiöser Heimat. Wem das Religiöse am Herzen liegt, der ist dankbar für diese Zeichen der Zeit und erkennt hinter der zeitbedingten religiösen Welle etwas Tieferes, daß nämlich der Mensch „unrettbar religiös" ist. Er wird diese Zeichen der Zeit ernst nehmen und damit rechnen, daß Gottes Geist und Wirken auch jenseits der Grenzen des verfaßten Christentums spürbar sind.

Aber nicht alle Äußerungen der neuen religiös-weltanschaulichen Bewegtheit entstammen dieser Quelle. Es steckt in all dem auch viel Irrtum und Abwegigkeit, Götzendienst und Gefährdung des Menschlichen. Was wachsen und gute Frucht bringen will, muß sich der Beurteilung und Bewertung stellen. Der kritische Dialog mit den neuen – und oft doch altbekannten – Phänomenen dient nicht nur Christen, die bis in Theologenkreise hinein von der „neuen Unübersichtlichkeit" verwirrt sind. Er kommt auch dem zugute, was in diesen Phänomenen bemerkenswert und zukunftsträchtig ist.

Die Themen liegen auf der Hand: Aberglaube, Magie, Menschen- und Naturvergottung; sublime intellektuelle oder ästhetische Gnosis mit dem Anspruch, die Welträtsel zu entziffern und die Mystik zu entschleiern; Geisterglaube und Hexenkult; Jugendsekten und vagabundierende Religiosität; Wiederkehr archaischer Religionen samt ihren Göttinnen und Göttern; Therapieformen als Religionsersatz; Weltdeutungen, die die Wirklichkeit verfehlen, und pseudo-wissenschaftliche Gesamtentwürfe, die sich der Prüfung durch Erfahrung und Vernunft entziehen.

Dieser Wildwuchs fordert die christliche Gabe der Unterscheidung heraus, die am Evangelium Jesu Christi orientiert ist. Ideologie- und Religionskritik also nicht als Selbstzweck, sondern im Dienst der „Unterscheidung des Christlichen". Diesem Unterscheiden aus dem Glauben, aus der Verbundenheit mit der Tradition des Christentums, aus dem heutigen christlichen Leben und Erfahren heraus möchte sich die neue Buchreihe stellen. In handlicher Form sollen Themen aus dem oben umrissenen Bereich behandelt werden. Autoren von Kompetenz und Engagement werden angegangen.

Herausgebern, Verfassern und Verlagen ist es ein Anliegen:

Daß auch der Leser ohne Fachbildung mit den Darstellungen zurecht kommt – das betrifft Sprachstil, Aufmachung und Darbietung. Daß der Leser eine begründete Darstellung der angesproche-

nen Phänomene bekommt — das betrifft die Sachkunde des Verfassers.
Daß dem Leser Hilfen zur Unterscheidung und zur Entscheidung gegeben werden — das betrifft das engagierte Urteil der Autoren.
Daß dies alles in Ehrfurcht vor fremder Religiosität geschieht und auch in der Bereitwilligkeit, zu lernen und sich selbst zu korrigieren — das betrifft die Achtung vor jedem Menschen, wie sie Jesus uns gelehrt hat.
Die beiden Herausgeber sind Mitglieder der beiden großen Kirchen; sie wissen sich in diesem Anliegen eins; sie wissen auch, daß hier eine der wichtigsten Fragen an die Kirchen von heute und morgen sich stellt: Mit den neuen religiösen und weltanschaulichen Entwürfen und Bewegungen ins Gespräch zu kommen — behutsam, verstehend, zugleich kritisch wach und christlich engagiert.

Reinhart Hummel | Josef Sudbrack S.J.

Inhalt

Vorwort

Zwischen Vernunft und Glauben scheint ein unüberbrückbarer Graben zu bestehen. Vernunft gibt sich als präzises Denken nach dem Maßstab des Wissenschaftlichen; dem Glauben wird zugestanden, solcher Maßstäbe nicht zu bedürfen, ins Vage, Unkontrollierbare, weniger Feste abdriften zu können. Allenfalls mag er, um auch seinen sicheren Boden zu haben, sich an Offenbarungen, heilige Bücher oder Dogmen halten, die aber nur aus ihm selbst Verbindlichkeit gewinnen und den Außenstehenden zu nichts verpflichten.
Dieses einfache Bild vom Verhältnis zwischen Vernunft und Glauben ist heute ins Wanken geraten. Die kartesianische Ratio kam in Verruf. In der modernen Lebenswelt tauchen Probleme auf, die man dem wissenschaftlichen Geist und seiner unbekümmerten Selbstgewißheit anzukreiden bemüht ist. Zumal die Allmacht technischer Rationalität erregt Verdacht. Seit geraumer Zeit wird Modernes durch Postmodernes ersetzt; eine neue Ära scheint sich anzukündigen, die menschlicher, behutsamer, vielfältiger sein will und Pluralismus verheißt: Nicht mehr das eine Gebäude unduldsamer Vernunft, sondern ein fließendes Leben in vielen Räumen ist gefragt. Das Außerwissenschaftliche verlangt sein Recht, gar das Irrationale. Und das kann dem christlich Glaubenden nicht gleichgültig sein. Hat er sein Leben nicht längst auf anderes gegründet als auf reine Vernunft? Am Ende wird der Glauben zur neuen, besseren Ratio.
Hier gilt es zu unterscheiden. Die Vernunft hat ihre Geschichte; ihr Selbstverständnis bot nie ein abgeschlossenes System. Wenn sich bestimmte Rationalitätsformen als unzulänglich erweisen, so heißt das nicht, daß wir kritisch fragende Vernunft aufgeben, allem nur immer Andrängenden offen zustimmen müßten, um Leben in Vielfalt führen zu können. Nach wie vor gilt, daß sich Probleme nur durch denkendes Bemühen lösen lassen. Ein neues Denken mag notwendig sein, aber es muß doch als Denken immer noch Sa-

che der Vernunft bleiben. Vielleicht kann es so verstanden werden, daß es dem Glauben nicht die Tür zuschlägt und ihn im Reservat für Unkontrollierbares draußen läßt. Die Betrachtungen dieses Buches sollen beides zeigen: wie Vernunft im (offenen!) geschichtlichen Wandel steht und wie sie dennoch, auch in ihrer Krise, als kritisches Denken unerläßlich bleibt.
Der *erste Teil* ist demnach vor allem historisch orientiert. Er versucht, die wesentlichsten Etappen bei der Bildung des abendländischen Vernunftbegriffs zu markieren. Allerdings steht dieser Begriff nicht allein. Er erhält, spätestens bei *Hegel*, Konkurrenz durch eine angeblich höhere Instanz, den Geist, und während sich im 19. Jahrhundert die Geisteswissenschaften stürmisch entwickeln, wird der Vernunftbegriff relativiert, sogar aufgespalten, als gäbe es nicht nur eine Vernunft, sonderen deren viele. Vorläufig endet diese Tendenz im Pluralismus der Postmoderne.
Der *zweite Teil* sucht die historisch vermittelte, heutige Situation der Vernunft zu reflektieren. Das geschieht von verschiedenen Seiten aus. Phänomenologisch kann Vernunft in ihrem alltäglichen Vollzug betrachtet werden (II, 1); wissenschaftstheoretisch wird sie vor allem dort untersucht, wo sie ihr eigentliches Reich zu haben scheint: in mathematischer und technologischer Rationalität (II, 2). Daß aber Rationalität heute nicht mehr als unbedingter Maßstab akzeptiert wird, daß sich Irrationales wachsender Beliebtheit erfreut (bis hin zur Esoterik), fordert eine Auseinandersetzung mit Denkstrukturen heraus, die Vernunft in Frage stellen, ausdrücklich oder unter der Hand (II, 4). Was Vernunft heute sein kann, zumal im Spannungsverhältnis zum Glauben, sei die Schlußfrage (II, 5 und II, 6).

I. Vernunft als Leitbild?

Hinter das Titelblatt der ersten Auflage von „Menschliches, Allzumenschliches" setzte *Nietzsche* (anstelle einer Vorrede) ein Stück aus dem „Discours de la méthode", in dem *Descartes* von dem Weg berichtet, der ihn zu seiner Philosophie des *ego cogito* (ich denke) geführt hatte:

„Eine Zeitlang erwog ich die verschiedenen Beschäftigungen, denen sich die Menschen in diesem Leben überlassen, und machte den Versuch, die beste von ihnen auszuwählen. Aber es tut nicht not, hier zu erzählen, auf was für Gedanken ich dabei kam. Genug, daß für mein Teil mir nichts besser erschien, als wenn ich streng bei meinem Vorhaben verbliebe, das heißt, wenn ich die ganze Frist meines Lebens darauf verwendete, *meine Vernunft auszubilden und den Spuren der Wahrheit nachzugehen* in der Art und Weise, welche ich mir vorgesetzt hatte ..."[1]

Diesem Programm eines allein von der Vernunft geleiteten Denkens ist Descartes getreulich gefolgt. Vernunft *(raison)* war ihm beides: die entscheidende Wesensbestimmung des Menschen und der goldene Weg zur Wahrheit; sie war für ihn das einzig zuverlässige Instrument philosophischer Arbeit und zugleich der Boden eines „guten Denkens" *(bon sens)*, der „von Natur in allen Menschen gleich ist" und überhaupt das *animal rationale* (vernunftbegabtes Tier) von allen anderen Lebewesen unterscheidet: „Das Einzige, das uns zu Menschen macht." Als *lumen naturale* (natürliches Licht) sollte Vernunft auf wahrhafte Erkenntnis führen, auf Evidenz und logische Unausweichlichkeit, und sie sollte zudem die Freiheit garantieren, einem Satz zustimmen zu können oder nicht.

Nietzsche hat den kartesianischen Vernunftglauben mit boshafter Ironie unter die Rubrik des Menschlich-Allzumenschlichen gesetzt und damit nicht nur Descartes selbst, sondern die gesamte sich auf „reine Vernunft" stützende Philosophie zu treffen ver-

[1] R. Descartes, Discours de la méthode, Kap. III.

sucht. Rationalität erschien ihm als Chimäre einer auf Sicherheit bedachten geistigen Feigheit, nicht als *bon sens*, sondern eher als Krankheit, als – wie er sagte – „Erbfehler der Philosophen“:
„Alle Philosophen haben den gemeinsamen Fehler an sich, daß sie vom gegenwärtigen Menschen ausgehen und durch eine Analyse desselben ans Ziel zu kommen meinen. Unwillkürlich schwebt ihnen ‚der Mensch‘ als eine *aeterna veritas* (ewige Wahrheit), als ein Gleichbleibendes in allem Strudel, als ein sicheres Maß der Dinge vor. Alles, was der Philosoph über den Menschen aussagt, ist aber im Grunde nicht mehr als ein Zeugnis über den Menschen eines *sehr beschränkten* Zeitraumes. Mangel an historischem Sinn ist der Erbfehler aller Philosophen; manche sogar nehmen unversehens die allerjüngste Gestaltung des Menschen, wie eine solche unter dem Eindruck bestimmter Religionen, ja bestimmter politischer Ereignisse entstanden ist, als die feste Form, von der man ausgehen müsse. Sie wollen nicht lernen, daß der Mensch geworden ist, daß auch das Erkenntnisvermögen geworden ist; während einige von ihnen sogar die ganze Welt aus diesem Erkenntnisvermögen sich herausspinnen lassen ... Es gibt *keine ewigen Tatsachen:* so wie es keine absoluten Wahrheiten gibt. – Demnach ist das *historische Philosophieren* von jetzt ab nötig und mit ihm die Tugend der Bescheidung.“[2]
Nichts also mit dem Versuch, ein *certum* (Gewisses, Gewißheit) des Denkens zu finden, das Wesen des Menschen ein für allemal unverbrüchlich zu bestimmen, die Vernunft auf ewig in den Stein der Weisen einzumeißeln. Der Mensch ist keine Konstante, sondern ein *animal mutationis* (veränderbares Tier) wie alle Lebewesen auch; mit der Wahrheit ist es nicht weit her, am Ende erweist sie sich als „die Art von Irrtum, ohne welche eine bestimmte Art von lebendigen Wesen nicht leben könnte“, also als Vehikel der Selbsterhaltung.
Dann wäre also jene „Bescheidung“, die Nietzsche forderte, eine Begrenzung des kartesianischen Vernunftglaubens, sofern der angeblichen Rationalität des Menschen nicht über den Weg zu trauen ist.

[2] F. Nietzsche, Menschliches, Allzumenschliches, I. Bd., Erstes Hauptstück, Abs. 2.

Vernunft wäre als *historisches Phänomen* zu sehen, als etwas, das sich irgendwann einmal entwickelt hat und auch wieder verschwinden wird, das aber keinerlei Ansprüche erheben darf, in die Sphäre unerschütterlicher Erkenntnis oder gar Wahrheit zu führen. Die bescheiden gewordene Vernunft müßte sich geradezu selbst einklammern und auf absolute Herrschaft verzichten. Aber das könnte sie nur, wenn sie sich selbst durchschaut, und so etwas hatte sie schon versucht, nicht erst bei Nietzsche, sondern hundert Jahre vorher bei *Kant*.
Doch die Bescheidenheit Kants war eine andere als diejenige Nietzsches. Sie hatte nicht die Vernunft als solche aus den Angeln heben, sondern nur Grenzüberschreitungen des Räsonnierens verhindern wollen. Bei Kant war es um die *Disziplinierung der Vernunft* gegangen, und sie konnte – als zentrales Vorhaben von Aufklärung – nur durch Vernunft selbst erfolgen. Kant hat nie daran gezweifelt, daß letztlich nur die Vernunft *per se* (durch sich selbst) sich kritisieren könne: ihr Grenzen zu setzen, bedeutete für ihn, die Vernunft als Grundform menschlichen Daseins zu stabilisieren. Will der Mensch in den Dunkelheiten dieses Daseins nicht scheitern, bedarf er der Orientierung; dazu aber braucht er Vernunft als „höchstes Gut auf Erden“, als „letzten Probierstein der Wahrheit“[3].
Zwar mag die Vernunft den Menschen zwingen, bestimmte Dinge zu akzeptieren und andere zu verwerfen, aber das tut sie aus einer Notwendigkeit, die ihrer Freiheit nicht widerspricht. Freiheit im Denken war für Kant nichts anderes als Unterwerfung unter solche Gesetze, die die Vernunft sich selber gibt, also schlechthinnige *Autonomie der Vernunft.* Und Kant hat sehr wohl gesehen, daß ein anderes Freiheitsverständnis zur Selbstauflösung der Vernunft führen müsse. Die Genie-Bewegung der Stürmer und Dränger war ihm zutiefst suspekt; er verabscheute „die Maxime eines gesetzlosen Gebrauchs der Vernunft“, wie er von jenen Genialen gefordert wurde, die in Tiefen vorstoßen wollten, von denen die Vernunft keine Ahnung hat:

[3] I. Kant, Was heißt: sich im Denken orientieren? – Ausg. Weischedel, Frankfurt 1978, Bd. V, 282.

„Die Folge davon ist natürlicher Weise diese: daß, wenn die Vernunft dem Gesetze nicht unterworfen sein will, das sie sich selbst gibt, sie sich unter das Joch der Gesetze beugen muß, die ihr ein anderer gibt; denn ohne irgend ein Gesetz kann gar nichts, selbst nicht der größte Unsinn, sein Spiel lange treiben. Also ist die unvermeidliche Folge der *erklärten* Gesetzlosigkeit im Denken (einer Befreiung von den Einschränkungen durch die Vernunft) diese: daß Freiheit zu denken zuletzt dadurch eingebüßt, und, weil nicht etwa Unglück, sondern wahrer Übermut daran schuld ist, im eigentlichen Sinne des Worts verscherzt wird."[4]

Sind diese Sätze Kants gegenüber Nietzsche ohnmächtig geworden? Und wir können weiter fragen: Sind sie erledigt, nachdem sich in Europa ein neuer *Irrationalismus* eingebürgert hat, der den an Aufklärung und an Vernunft glaubenden modernen Menschen durch die Ausrufung der *Postmoderne* überwinden möchte? Hat diese neue Bewegung, indem sie gegen den Übermut der Wissenschaft zu kämpfen vorgibt, selbst einen Übermut ganz anderer Art zum Hintergrund, der sich gegen die Autonomie der Vernunft richtet, um Freiheit zu schaffen, und der doch nur den Weg für neue Despotien ebnet? Schon die bloße Möglichkeit, so zu fragen, sollte beunruhigend wirken!

Man muß nicht gleich dramatisieren, daß das Schicksal der Vernunft auf dem Spiel stehe. Die Ausrufung eines „neuen Denkens" wird sie nicht von heute auf morgen abschaffen. Aber schon die bloße Verunsicherung in der Frage, ob Vernunft noch ein Leitbild liefern könne, zwingt zur Nachdenklichkeit. Im wahrsten Sinne des Wortes wird ein der Vernunft Nach-Denken unumgänglich, und das heißt zunächst, sich in geschichtlicher Rückbesinnung des Weges zu versichern, den sie im abendländischen Raum genommen hat. Liegt dieser Weg zwar hinter ihr, so ist er doch zugleich immer noch gegenwärtig als Vorgabe, die unser heutiges Denken in seinen Horizont weist.

[4] Ebd. 281.

1. Die Inthronisierung der reinen Vernunft

Der Gedanke, daß Vernunft in der Welt sei und diese Welt sogar beherrsche, geht auf die *Griechen* zurück. Kein anderes Volk war so wie sie von dem Bewußtsein erfüllt, daß es möglich sei, die Wirklichkeit in Gedanken zu fassen, sie zu verstehen und ihre Ordnungen denkend zu begreifen. Indem die Griechen die Erfindung der *Theorie* machten, gründeten sie ihr ganzes Dasein auf *Erkenntnis* und bereiteten so den Boden für eine Einstellung, die bis heute unser historisches Erbteil geblieben ist. Niemand hat das besser verstanden als *Hegel,* der sich selbst als Vollstrecker der im griechischen Erbe liegenden Verpflichtung sah, als den, in dem die Vernunft zu sich selber kommt und sich in ihrem innersten Wesen versteht. Für ihn hatten die Griechen zum erstenmal in der Geschichte der Menschheit so etwas wie ein Bewußtsein gedanklicher Souveränität entwickelt und damit eine neue, die *abendländische* Epoche begonnen. In seinen Vorlesungen über die Geschichte der Philosophie sagte er:

„Die eigentliche Philosophie beginnt im Okzident. Erst im Abendlande geht diese Freiheit des Selbstbewußtseins auf, das natürliche Bewußtsein in sich unter und damit der Geist in sich nieder. Im Glanze des Morgenlandes verschwindet das Individuum nur; das Licht wird im Abendlande erst zum Blitze des Gedankens, der in sich selbst einschlägt und von da aus sich seine Welt erschafft.“[5]

Der Begriff nun, unter dessen Maß sich das abendländische Denken von den Griechen her auf den Weg machte, wird zum ersten Mal bei dem Vorsokratiker *Heraklit* genannt: „Logos“.

„Diesen Logos aber, obgleich er ewig ist, begreifen die Menschen nicht, weder bevor sie ihn noch nachdem sie ihn gehört haben. Und doch geschieht alles diesem Logos gemäß. Sie aber gleichen Unerfahrenen, sobald sie sich in solchen Worten und Werken versuchen, wie ich sie verkünde, jegliches seiner Natur gemäß ausle-

[5] G. W. F. Hegel, Vorlesungen über die Geschichte der Philosophie, Suhrkamp-Werkausgabe Bd. 18, Frankfurt, 121.

gend und sagend, wie es sich damit verhält. Den anderen Menschen aber verbirgt sich, was sie im Wachen tun, wie sie vergessen, was sie im Schlafe tun."[6]

Hinter solchen Worten steht ein hoher Anspruch, aber er darf nicht einfach im Sinne von Überheblichkeit verstanden werden. Heraklit spricht nicht als jemand, der sein eigenes Denken zur allgemeinen Norm erheben will; da ist kein kartesianisches *ego cogito*, das im Denken des Logos einen subjektiven Akt oder gar eine persönliche Leistung sieht. „Denken des Logos" ist vielmehr die Haltung eines Nachvollziehens, als sei Heraklit das Sprachrohr, aus dem der Logos selbst spricht. Logos im griechischen Sinne ist nicht die im Menschen sitzende Vernunft, sondern eher eine Art Weltgesetz, das Heraklit nur verkündet, ohne sich als sein Urheber zu fühlen. Das Subjektive des Denkens ist noch nicht aufgekommen; der Logos zeigt, wie alles sich seiner Natur gemäß *(katà phýsin)* verhält, und indem er das tut, indem er das Seiende als Seiendes enthüllt, steht er mythischen Mächten fast näher als dem rationalen Denken.

In Homers „Ilias" wird das Wort *lógos* noch unscheinbar im Sinne gewöhnlicher Reden verwendet (Il. XV, 393); da hat es noch nicht die Bedeutung eines tragenden Begriffs und wird von dem mächtigeren *mythos* überstrahlt. Aber in beiden Fällen ist die *Sprache* das entscheidende Moment, und in der „Odyssee" gibt es eine schöne Stelle, die zeigt, was Sprache, wenn sie denn etwas Göttliches ist, vermag. Da ist Odysseus endlich zurück an die Küste seiner Heimat Ithaka gekommen, aber im dichten Nebel des Morgens findet er sich nicht zurecht und kann seine Heimat nicht wiedererkennen. Athene tritt hinzu, in Gestalt eines jungen Hirten, und beschreibt dem mißtrauischen Odysseus, wo er ist: Dort drüben liegt der Hafen des Phorkys, an seinem Ende steht ein Ölbaum, dicht daneben findet sich eine heilige Höhle usw. Noch verhüllt der Nebel alles, aber dann, als Athene gesprochen hat, verschwindet er plötzlich, und die Landschaft wird sichtbar. Wohlgemerkt: nicht, daß Athene eine schon wahrgenommene Wirklichkeit nachträg-

[6] H. Diels, Fragmente der Vorsokratiker, Berlin 1906, 61.

lich beschreibt, sondern erst durch ihr Sprechen wird der Nebel vertrieben und das Seiende in dem enthüllt, was es ist (Od. XIII, 344 ff). Genau im selben Sinne aber wie der *mythos* (das Wort) Athenes wirkt der *lógos* Heraklits, und so steht er zwar schon auf der Seite des Denkens, aber noch mit der Kraft mythischen Sagens.

Wenn aber die vorsokratische Entdeckung des Logos auf mythische Voraussetzungen zurückgeht, dann kann man sie nicht ohne weiteres von ihrem Hintergrund lösen und so tun, als sei die Vernunft vom Himmel gefallen und aus sich heraus verständlich. Das moderne Vernunft-Bewußtsein (wie immer es im einzelnen interpretiert werden mag) ist *geschichtlich* vermittelt, und seine Verwurzelung im griechischen Logos ist zugleich Verwurzelung in der mythischen Welt des frühen Hellas. Das soll nicht heißen, der (neuzeitliche) Glaube an Vernunft oder gar an Rationalität sei selbst ein Mythos. So etwas sagt sich leicht, wenn man ohnehin darauf aus ist, Vernunft zu diskreditieren. Der Hinweis auf mythische Quellen vorsokratischen Denkens ist als Hinweis auf die historisch bedingte Einzigartigkeit der abendländischen „Vernunft" gemeint. Erst wenn diese Vernunft zum *Allgemeinmenschlichen* nivelliert wird, als sei sie eine universale Disposition unserer Gattung, hört sie auf, eine konkrete Herkunft zu haben und verdünnt sich zur vagen Idee.

Nicht, daß andere Kulturen „vernunftlos" wären. So ist die Alternative nicht gemeint. Denken gibt es im Indischen, im Chinesischen, wo immer man will. Aber das Denken der Veden bestimmt sich anders als das des I Ging; biblisches Denken im Alten Testament hat andere Prämissen als das Denken der Ägypter oder Babylonier. Wenn *Parmenides* das denkende Erkennen *(noeín)* mit dem Sein zur Deckung bringt, ist dieser Schritt nur auf dem Boden einer vorgängigen Gewißheit möglich, daß nämlich das Seiende ist und im Denken gar nichts anderes als nur immer Seiendes gedacht werden kann. Solche Seinsgewißheit aber ist allein *griechisch* und prägte den griechischen Logos; Vergleichbares geben andere „Denkwelten" nicht her – womit natürlich kein Werturteil verbunden sein soll!

Aus dem *noeín* des Parmenides hat *Anaxagoras* den *nous* gemacht, jenen seltsamen Weltgott, der alles beherrscht und bewegt, ohne von außen auf den Kosmos einzuwirken. Aber mit dieser Hypostasierung des Denkens zum *nous* war auch der erste Schritt zu einer fatalen terminologischen Vielfalt getan. Denn nun hatte der Logos einen Partner erhalten, ohne Klärung der Zuständigkeiten, und erst *Platon* versuchte so etwas wie ein Konzept für die Rangordnung im Reich des Denkens. Es findet sich als *Liniengleichnis* in der „Politeia" (509 d ff): Da werden die Formen des Erkennens durch Analogie zur Teilung einer Strecke gewonnen; die erste Halbierung liefert die Bereiche des Sichtbaren *(horatón)* und des Denkbaren *(noetón)*, und wie sich das Sichtbare in Bilder und Gegenstände teilen läßt, so teilte Platon das Denkbare ebenfalls in zwei Unterbereiche: das Feld der mathematischen Wissenschaften für den *Verstand (diánoia)*, das Feld der Ideen für die *Vernunft (nóesis)*. Die *nóesis* sollte dabei den höchsten Stellenwert haben und alles umfassen, „was der lógos selbst durch das dialektische Vermögen ergreift" (511 b 4).

Zwar sind die deutschen Begriffe „Verstand" und „Vernunft" erst im 18. Jahrhundert zu philosophischen Vokabeln geworden und können nicht ganz dem platonischen Sinn von *diánoia* und *nóesis* entsprechen. Aber trotz dieser Einschränkung zeigen sich in der Gegenüberstellung von Verstand und Vernunft die gleichen antithetischen Strukturen wie in Platons Konzept. Das Denken wirkt in abgestuften Bereichen; es ist zwar homogen (als Logos), aber doch in sich differenziert. Die rechnende *diánoia* kann noch nicht erreichen, was erst der *nóesis* möglich ist, nämlich die Ideen zu *schauen*. Die Erhebung des *eídos* zu einem Seienden, das in und von der Seele erfaßt wird, nimmt vorweg, was die deutsche Tradition später dem „geistigen Auge" zugeschrieben hat; eine Art höherer Einsicht, die dem bloßen Verstandeskalkül verborgen bleiben muß. So kann die harsche Kritik, mit der das „Neue Denken" den armen Verstand überzieht, sich durchaus auf Platon berufen, aber das macht diese Kritik noch lange nicht „vernünftig"!

Platons Lehre von *diánoia* und *nóesis* zeigt nun gegenüber den ersten vorsokratischen Denkern eine charakteristische Umorientierung des Logos (bei den Sophisten und Sokrates hatte sie begonnen). Der Logos ist nicht mehr das in den Dingen wirkende große Weltgesetz, sondern ein *Erkenntnisprinzip.* Zwar orientiert sich auch bei Platon jegliches Erkennen *(epistéme)* am Leitfaden des wahrhaft Seienden; es geht nicht von der Subjektivität des Subjekts aus wie später bei Descartes. Aber indem Logos und Erkenntnis zusammenrücken, wird der philosophischen Vernunft eine neue Richtung gewiesen. Und das ändert sich auch nicht bei *Aristoteles,* der aber die Zweiteilung von *diánoia* und *nóesis* nicht mehr mitmacht, sondern zu der *einen* Vernunft des *nous* zurückkehrt.

Aristoteles hat erstaunlich wenig über die Eigenarten des *nous* gesagt; den Sinneswahrnehmungen widmet er in seinem Buch über die Seele einen wesentlich breiteren Raum. Was für die Vorsokratiker noch das Atemberaubende einer heißen Entdeckung gehabt hatte, ist bei Aristoteles zum Selbstverständlichen abgekühlt. Der *nous* kann denken: ob er das nun im Menschen tut oder im Gott (der dann als „Denken des Denkens" in sich selber kreist), tut wenig zur Sache. Das Denken ist sich seiner begrifflichen Fähigkeiten sicher, eine Selbstkritik der Vernunft erscheint nicht einmal am Rande, und dieses Grundvertrauen in den *nous* hat bis zum Ende des Mittelalters gehalten.

Dabei kam den *Scholastikern* eine Eigenheit des Lateinischen zugute, daß dort für die Denkfähigkeit eigentlich nur das Wort *intellectus* und für das Begriffliche nur *ratio* zur Verfügung stand. So bot sich *intellectus* als adäquate Übersetzung für *nous* an; aus dem ehrwürdigen *logos* wurde die bescheidene *ratio.* Von irgendwelchen weiteren geistigen Fähigkeiten konnte für die mittelalterlichen Theologen ohnehin nicht gut die Rede sein, denn der mosaische Text von der Erschaffung des Menschen gab nicht mehr her als einen in sich einheitlichen pneumatischen Akt. Bei *Thomas von Aquino* werden dementsprechend *intellectus* und *ratio* wie zwei Seiten ein und derselben Münze behandelt: Der Intellekt ist das Vermögen, etwas gedanklich aufzufassen und zu verstehen; das gleiche Vermögen wird zur *ratio,* wenn es logische Schlüsse zieht (d.h. Begriffe zusammenrechnet). Das intellektuelle Schauen kann zwar als eine Art (unvollkommener) *Intuition* verstanden werden, während die *ratio* diskursiv tätig ist, aber dabei ist immer nur die gleiche Instanz am Werke. Thomas kannte natürlich auch die von Platon herkommende Tradition, zwei verschiedene geistige Kräfte anzunehmen (im Sinne von *diánoia* und *nóesis* bzw. Verstand und Vernunft); das war in der beginnenden *Mystik* wieder virulent geworden, um dem Göttlichen im Menschen seinen Platz zu geben und einen mehr oder weniger dunklen, intuitiven Ahnungs-Sinn als „höhere" Erkenntnis gegen die simplen Verstandeseinsichten abzugrenzen. Dagegen *Thomas:*

„Bei der Unterscheidung zwischen höherer und niederer Vernunft handelt es sich nur um verschiedene Tätigkeitsweisen und ihnen entsprechende Fertigkeiten desselben geistigen Erkenntnisvermögens, mag man nun, wie Augustinus es tut, der höheren Vernunft zuschreiben, ‚darauf bedacht zu sein, das Ewige zu schauen und um Rat anzugehen', und der niederen Vernunft, ‚darauf bedacht zu sein, das Zeitliche zu verwalten', oder mag man auf Grund einer Zweiteilung, die Aristoteles bzw. Johannes von Damaskus machen, die höhere Vernunft als das Wissende bzw. Denkende bezeichnen und die niedere Vernunft als das Vermutende oder Meinende."[7]

Thomas hatte also ein apologetisches Interesse daran, die Einheit des Intellekts gegenüber mystischen Phantasien zu betonen; es ging ihm um ein in sich geschlossenes Konzept von Vernunft. Wenn auch *Descartes* sich später von den Scholastikern abzugrenzen und einen völlig originären Standpunkt einzunehmen suchte: in diesem Punkt ist er dem Thomismus willig gefolgt. Auch für ihn war es zweifelsfrei ausgemacht, daß es nur *ein* rationales Vermögen im Menschen geben könne, da nämlich „alle Wissenschaften insgesamt nichts anderes sind als die menschliche Vernunft, die stets ein und dieselbe bleibt"[8].

Diese Vernunft war für ihn ein *lumen naturale* und auf Hervorbringung von Evidenzen angelegt; ihr Ort lag im denkenden Subjekt und nirgendwo sonst.

Descartes hat seinen „Rationalismus" radikal als Denk-Autonomie verstanden, nämlich unter dem Motto, „daß nichts vollständig in

[7] Deutsche Thomas-Ausgabe, Bd. 6, 544.

[8] R. Descartes, Regeln zur Leitung des Geistes I, Leipzig 1948, 3.

unserer Macht sei als *unsere Gedanken*" (Discours, Kap. 3). Sein universaler Zweifelsversuch bezog von daher die nötige Rechtfertigung. Wie nun allerdings das Denken aus dem zunächst leeren Nullpunkt des *ego cogito* herausgelangen und zu mehr als einem reinen Selbstbewußtsein kommen könne, war durch Zweifeln allein nicht auszumachen. Da bedurfte es eines Leitfadens, und Descartes sah ihn in der *mathematischen Methode.*

Wenn nur das als Erkenntnis gelten soll, was *clare et distincte* (klar und unterscheidbar) im Bewußtsein erscheint, bietet in der Tat die Mathematik ein Beispiel, das scheinbar jeder Fragwürdigkeit entrückt ist. In seinen „Regeln zur Leitung des Geistes" versteht Descartes die Mathematik als „Wissen" *(scientia)* schlechthin, und zwar nicht in inhaltlicher, sondern in formaler Hinsicht, denn es kommt bei ihr nicht darauf an, ob man sie zur Bestimmung physikalischer, astronomischer oder sonstiger Verhältnisse anwendet; vielmehr umfaßt sie alles, was durch „Ordnung und Maß" *(ordo et mensura)* bestimmt ist, so daß es also „eine bestimmte allgemeine Wissenschaft geben muß, die all das erklären wird, was der Ordnung und dem Maße unterworfen, ohne Anwendung auf eine bestimmte Materie, als Problem auftreten kann. Diese kann man, nicht durch ein fremdes, sondern durch ein altes und in allgemeinen Gebrauch übergegangenes Wort, als „Mathesis universalis" bezeichnen, weil in ihr der Grund dafür enthalten ist, weswegen man auch die übrigen Wissenschaften als mathematische Lehren bezeichnet."[9]

Vernunft ist demnach für Descartes zunächst und allein mathematische Vernunft, und wie sie funktioniert, hat Descartes durch seinen Entwurf einer analytischen Geometrie vorgeführt. Da werden Figuren in die Sprache der Algebra übersetzt, also in einzelne Komponenten zerlegt, mit denen sich dann nach den Gesetzen einer abstrakten Symbolik rechnen läßt. *Heinrich Scholz* hat das eine „passe-partout-Mathematik" genannt und bei aller Hochachtung für die geschichtliche Leistung Descartes' kritisch angemerkt:
„Wie niemand vor ihm und wenige nach ihm hat Descartes die ma-

[9] Ebd. IV, 9, 21.

thematischen Talente scharenweise in Betrieb zu setzen vermocht. Er ist der Schicksalsmensch gewesen, der die *Industrialisierung der Forschung* eingeleitet hat. Auf ihn gehen die Anfänge des wissenschaftlichen Großbetriebes im abendländischen Raum zurück. Seit Descartes gibt es Angestellte der Wissenschaft, mit allem, was an ihnen vortrefflich ist, und mit allem, was an ihnen mit einem Fragezeichen versehen werden kann. Um es noch etwas anders zu sagen: Descartes bedeutet den Übergang von der wissenschaftlichen Handarbeit zur wissenschaftlichen Fabrikarbeit. Rekordleistungen werden ein erstrebenswertes Ziel."[10]

Natürlich ist die Algebra der Vernunft bei Descartes nicht mehr mit dem alten Zahlenmythos der Pythagoreer zu vergleichen, auch nicht mit Platon. „Mit Descartes verschwindet die platonische Andacht aus der abendländischen Mathematik" (H. Scholz). Aber so ganz doch nicht. *Leibniz* hat ein halbes Jahrhundert nach Descartes das Projekt der *mathesis universalis* wieder aufgenommen und konsequent auf alle Tätigkeiten des problemlösenden Denkens bezogen; wenn einst Philosophen in einen Streit geraten würden, könnten sie die Wahrheit rechnend finden – *calculemus!* (laßt es uns ausrechnen!) würden sie rufen –, aber Leibniz versuchte wenigstens, seine Kalküle in die großartigen Harmonien des Universums einzubinden und als Sprache nicht nur der menschlichen Vernunft, sondern auch des mathematisch denkenden Weltschöpfers zu verstehen. Im Grunde seines Herzens dachte Leibniz ästhetisch.

Wie dem auch sei: Mit Descartes hat der abendländische Vernunftbegriff sich auf eine nicht mehr zurücknehmbare Weise am Muster des Mathematischen orientiert, obwohl Descartes selbst betonen mußte, er stehe erst am Anfang eines neuen Denkens und es läge noch eine lange Durststrecke vor der endgültigen Sicherung allen Wissens in unbezweifelbar-evidenten Wahrheiten.

Für die Übergangsperiode gab Descartes zu, sich mit *„vorläufigen Regeln zur praktischen Lebensführung"* behelfen zu müssen, mit einer provisorischen Moral, die zwar nicht unbedingt gesichert, aber dennoch „vernünftig" sein sollte. Damit wiederholt sich die plato-

[10] H. Scholz, Mathesis universalis, Basel/Stuttgart 1961, 108.

nische Trennung zweier intellektueller Bereiche, aber jetzt nicht mehr als Gegenüberstellung erkenntnisbezogener *diánoia* und *nóesis*, sondern als Abgrenzung von praktischer Handlungsorientierung und wissenschaftlicher Rationalität. Auch diese Zertrennung hatte ihre Tradition. Auf eine knappe Formel gebracht, ging es um Moral einerseits, Erkenntnis andererseits, oder, aristotelisch gesprochen, um *Handeln* und *Wissen:* „Denn das Ziel der betrachtenden Wissenschaft ist die Wahrheit, das der handelnden das Werk" (Metaph. B, 993 b 20). Die französischen Moralisten des 17. und 18. Jahrhunderts verstanden das so, als sei die Vernunft vor die Doppelaufgabe gestellt, den Menschen auf der einen Seite sittliche Maßstäbe zu liefern, auf der anderen Seite, ein möglichst umfangreiches Wissen, vor allem von der Natur, zu sammeln.

Nun ist es, nach einem Wort *Schopenhauers,* ein müßiges Unterfangen, den Menschen Moral predigen zu wollen; ihr Interesse richtet sich nicht darauf, moralisch zu sein, sondern glücklich zu werden (Grundlagen der Moral, § 2). Moralische Regeln können einen nicht aus unmittelbarer Evidenz zwingen, ihnen zu folgen, sondern lassen sich bestreiten, was bei wissenschaftlichen Erkenntnissen in dieser Weise nicht möglich ist. Jeder muß zustimmen, daß zwei und zwei vier sind; das fordert die Vernunft. Aber der Satz, man dürfe nicht töten, wird schnell außer Kraft gesetzt, wenn es darum geht, einen Krieg zu führen. Dann scheint es ganz „vernünftig", seine Feinde umzubringen. Diese für die Moralität beschämende Situation steht hinter dem Versuch *Kants,* auch der Ethik eine absolute Verbindlichkeit zu geben, und nach Lage der Dinge (im 18. Jahrhundert) konnte das nur bedeuten, daß neben die theoretische Vernunft eine *praktische Vernunft* – mit vergleichbaren Ansprüchen – zu treten hatte.

Sie durfte nicht „empirisch-beschränkt" sein, was heißen sollte: Ihre Sätze durften von keinen Erfahrungsinhalten (wie den antagonistischen Verhältnissen in Krieg und Frieden) abhängig sein, denn dann wären sie durch die Relativität wechselnder oder gar widersprüchlicher Voraussetzungen beeinträchtigt worden. Genau an diesem Mangel hatten die traditionellen Morallehren gelitten. Kant mußte die empirisch bedingte Vernunft zurückweisen, um ein *un-*

bedingtes Gesetz praktischen Handelns gewinnen zu können. Was den Willen auf absolute Weise bestimmt, durfte nur aus der praktischen Vernunft selbst genommen sein, völlig *a priori* (von vornherein; vor aller Erfahrung), und da sah Kant als einzigen Ansatzpunkt, der Moralität ein kategorisches Gesetz zu geben, die *Autonomie der Freiheit.* Die menschliche Freiheit läßt sich mit Hilfe empirischer Gründe weder herleiten noch widerlegen, sie ist weder eine Tatsache noch eine Nicht-Tatsache. Aber sie ist das unerläßliche *Postulat* jeder Sittlichkeit und damit die Voraussetzung dafür, daß Vernunft praktisch sein kann.

Die Doppelheit von praktischer und theoretischer Vernunft hatte Kant zwar in der philosophischen Tradition vorgefunden, aber durch seine entsprechenden „Kritiken" nun zu zementieren versucht. Sie gewann den Charakter des Unbedingten, und das enthob Kant der Mühe, nach den Voraussetzungen dieser Doppelheit zu forschen. Hinter dem Dualismus von theoretischer und praktischer Vernunft sah er zwar die Einheit der „reinen" Vernunft, aber doch in einer seltsamen Unbestimmtheit. So betonte er in der Vorrede zur „Kritik der reinen Vernunft", die reine Vernunft sei eine „vollkommene Einheit", bezog dann jedoch diese Einheit nur auf die theoretische Seite, sofern reine Vernunft die Prinzipien, „etwas schlechthin a priori zu erkennen", enthält (Einleitung, VII). Die reine Vernunft liefert in diesem Sinne *transzendentale Ideen* (z.B. die der Natur), der Verstand liefert – als untergeordnetes Erkenntnisvermögen – die *Kategorien,* in denen Erfahrungsinhalte gedacht werden. Aber als einheitsstiftendes Vermögen der Ideen bleibt die Vernunft eine rein formal wirkende Instanz: ein Hort des Unbedingten gegenüber dem Bedingten.

Viel zu tun bleibt ihr dann nicht, und das hat Kant durchaus gesehen, z.B. in einer eigentümlichen Bemerkung aus der „Transzendentalen Dialektik": „Die reine Vernunft ist in der Tat mit nichts als sich selbst beschäftigt . . ." Und etwas später: „So enthält die reine Vernunft, die uns anfangs nichts Geringeres, als Erweiterung der Kenntnisse über alle Grenzen der Erfahrung, zu versprechen schien, wenn wir sie recht verstehen, nichts als regulative Prinzipien." Wie solch eine formale Instanz auf einmal Einfluß auf das *menschliche Handeln* gewinnen und zur *praktischen Vernunft* werden könne, blieb Kant einigermaßen rätselhaft, und er wußte sich nur dadurch zu helfen, daß er erklärte, an dieser Stelle dürfe man überhaupt keine weiteren Fragen mehr stellen: „Wie reine Vernunft praktisch sein könne, das zu erklären, dazu ist alle menschliche Vernunft gänzlich unvermögend, und alle Mühe und Arbeit, hievon Erklärung zu suchen, ist verloren."[11]

Ganz ähnlich in der Vorrede zur „Kritik der praktischen Vernunft": „Denn wenn sie, als reine Vernunft, wirklich praktisch ist, so beweiset sie ihre und ihrer Begriffe Realität durch die Tat, und alles Vernünfteln wider die Möglichkeit, es zu sein, ist vergeblich."

Ein „Faktum" also erweist, daß die reine Vernunft praktisch sein könne, mit anderen Worten: Es ist nun einmal so! Das moralische Gesetz (der kategorische Imperativ) steht dann neben den sonstigen regulativen Prinzipien der reinen Vernunft, womit natürlich sein normativer Charakter – als Grundsatz des reinen Sollens – auf die transzendentalen Ideen abfärbt: *Soll* „Welt" sein, *soll* „Seele" sein, *soll* „Gott" sein? Soll all das auf dieselbe Weise sein, wie das Gute sein soll? Mit solchen Fragemöglichkeiten wird die Einheit der reinen Vernunft suspekt und erweist sich – trotz aller Strenge des Kantischen Denkens – als ein recht farbloses, abstraktes Postulat.

So sehr demnach mit Kant die Inthronisierung der Vernunft abgeschlossen zu sein schien und damit zugleich *Aufklärung* als Erwachen des Menschen „aus seiner selbstverschuldeten Unmündigkeit" möglich wurde, blieben doch Fragen offen, und das führte in der nachkantischen Epoche dazu, daß die Philosophie sich um einen höheren Gesichtspunkt bemühte, um einen „Transzendentalen Idealismus" eigener Art.

[11] I. Kant, Grundlegung zur Metaphysik der Sitten; Von der äußersten Grenze aller praktischen Philosophie, Ausgabe Reclam, Stuttgart 1959, 127.

2. *Der Geist als Anfechtung der Vernunft*

So sehr nun abendländisch-europäisches Denken durch Vernunft geprägt zu sein scheint, darf man doch nicht übersehen, daß es immer wieder Gegenbewegungen gegeben hat, die der Vernunft ihren Anspruch, letzte Erkenntnisquelle zu sein, bestreiten. Man kann hier weit zurückgehen, bis zu Mysterienkulten der Antike etwa, zumindest jedoch bis zum Neuplatonismus. Wenn z.B. *Plotin* über die Möglichkeit, zum Absoluten aufzusteigen, sagt, daß man es gar nicht „auf dem Wege des wissenschaftlichen Erkennens, des reinen Denkens wie der übrigen Denkgegenstände inne werden kann, sondern nur vermöge einer Gegenwärtigkeit, welche von höherer Art ist als Wissenschaft“[12] und wenn er solcherart das „Schauen“ über das begriffliche Denken setzt, so verbindet sich diese Überhöhung des Logos durch den Nous im Mittelalter mit der Paulinischen Überzeugung, daß nicht irdische Wissenschaft, sondern allein die Gnade Gottes Wahrheit erschließen könne (vgl. 1 Kor 1,19–20).

Bei *Augustinus* wird dann das verstandesmäßige Denken *(ratiocinatio)* unter den Primat des Willens *(voluntas)* gestellt: Der Wille lenkt als *intentio animi* (Richtung des Geistes) nicht nur die Wahrnehmungen der Sinne, sondern auch die Richtungnahme des Denkens, und wenn es schließlich um (intuitive) Erkenntnis der intelligiblen Welt geht, so hilft nur noch die Gnade. Erleuchtung verdankt der Mensch nie den eigenen Anstrengungen, sondern einzig dem Willen Gottes. *Duns Scotus* und *William von Ockham* haben daraufhin zwischen weltlicher Vernunftwissenschaft und Glaubenssachen eine strikte Grenze gezogen: Es gibt zwei Arten der Wahrheit, und sie sind inkommensurabel.

Auf diesem Boden einer durch Spätantike und Mittelalter geformten Tradition konnte in der Neuzeit eine Vernunftkritik erwachsen, die sich schließlich auch gegen das kartesianisch-kantische Denken richtete. Auf die Darstellung gewiß wichtiger Zwischen-

[12] Plotin, Auswahl von R. Harder, Fischer-TB, Frankfurt/Hamburg 1958, 9, 1–12, 71.

stationen soll hier verzichtet werden, z. B. auf die Polemik *Luthers* gegen Erasmus von Rotterdam („Der Heilige Geist ist kein Skeptiker" – wie die „blinde Hure Vernunft"); von *Jakob Böhme* zieht sich ein breites Band irrationaler Mystik bis hin zur Seelenmagie eines *Hemsterhuis* und zum Spiritismus *Swedenborgs.* Rationalistische Positionen wurden radikal in Frage gestellt, etwa durch jenen „Magus des Nordens" *Johann Georg Hamann,* der sich – just im Königsberg der reinen Vernunft – darüber beklagte, daß Descartes als „welscher Pädagogus" das deutsche Gemüt verdorben und um seine Seligkeiten gebracht habe.

Allerdings wären solche Attacken gegen die Herrschaftsansprüche der Vernunft mehr oder weniger ins Leere gelaufen (abgesehen von ihren literarischen Wirkungen), wäre nicht von ganz anderer Seite aus die abendländische Rationalität mitsamt ihrer Art von Wissenschaft und Zivilisation sehr nachhaltig in Frage gestellt worden. *Stephen Toulmin* hat jüngst darauf hingewiesen, welche entscheidende Bedeutung die Weltreisen des *James Cook* mit seiner „Discovery" für das europäische Selbstverständnis hatten. Cooks Expedition sollte ursprünglich astronomischen Messungen dienen und letzte Beweise für die Gültigkeit des neuzeitlichen Bildes vom Planetensystem erbringen. Was aber nach der Rückkehr von pazifischer Fahrt (1771) die Öffentlichkeit viel mehr interessierte als alle Astronomie, waren die Berichte über Leben und Sitten der Tahitianer. Da schien es auf der Erdkugel Völker zu geben, die ohne die Wohltaten der Zivilisation trotzdem glücklich leben konnten, sogar in stillem Frieden, in wechselseitiger Liebe und ohne restriktive Moral. So etwas klang für das geplagte europäische Publikum wie ein verheißungsvoller Bericht vom Paradies, und das Bild vom „edlen Wilden" wurde zur neuen Lieblingsmetapher. „Cooks Reise sollte die ewige Ordnung von Gottes Schöpfung endgültig erweisen; stattdessen lenkte sie die Aufmerksamkeit auf die Vielfalt und anscheinende Widersprüchlichkeit menschlicher Moralvorstellungen, Kulturen und Ideen."[13]

[13] S. Toulmin, Kritik der kollektiven Vernunft, Frankfurt 1983, 57.

Descartes hatte noch völlig anders argumentiert. Im „Discours" schreibt er, „daß die Leute, die eine der unsrigen ganz entgegengesetzte Gesinnungsweise haben, darum nicht alle Barbaren oder Wilde sind, sondern daß viele ebensosehr oder mehr als wir die Vernunft gebrauchen" (Kap. II). Rationalität blieb für ihn eine allgemeinmenschliche Grundeigenschaft. Und das hatte sich bis zu *Defoes* „Robinson" (einem Kartesianer par excellence) nicht geändert. Aber nun wurde diese Orientierung an der auf sich selbst gestellten Vernunft – mit der auch der Einsiedler auf dem Atoll seiner Ratio sich eine Welt einrichten kann – erschüttert. Der edle Wilde erschien nicht mehr als verkappter Europäer, den man nur enttarnen muß (wie der arme Freitag), sondern als ein ganz anderer. Und man begann, *Giambattista Vico* zu begreifen, der schon am Anfang des (achtzehnten) Jahrhunderts geahnt hatte, daß auch der abendländische Mensch nicht immer der gleiche gewesen sei, sondern eine Geschichte hinter sich habe, die statt mit dem Gebrauch der Vernunft mit *poetischen Mythen* begann.
Das wiederum war für *Herder* ein Sprungbrett gewesen, sich nun an eine „Metakritik der Kritik der reinen Vernunft" zu machen. Hatte *Kant* noch gemeint, die Sinne könnten uns nur das „Gewühl der Empfindungen" liefern und erst der Verstand mache daraus erkennbare Objekte, so wollte Herder die *Ganzheit* der menschlichen Individualität vor solchen Halbierungen retten; *Empfindung* sei nicht das taube Material des Verstandes, sondern die beredte Welt der *Sprache:* Poesie rangiere *vor* der abstrakten Vernunft und sei niemals allgemein, sondern ursprünglicher Ausdruck der gesamten, konkreten menschlichen Natur. Das relativiert die Vernunft. Herder hat nicht geleugnet, daß der Mensch zur Vernunft fähig sei, aber für ihn war Vernunft *mehr* als Ratio. Wenn sie schon – ihrem Wortsinne nach – das *Vernehmen* voraussetzt, so kann auch der Säugling vernünftig sein: „Heißt denn vernünftig denken mit ausgebildeter Vernunft denken?" Und wenn der Mensch zunächst ein empfindendes Wesen ist, dann kann seine Vernunft nur den Empfindungen *folgen,* nicht aber sie regieren. Schließlich aber hat alles Empfinden seinen ethnischen und historischen Ort, genauso wie es seine jeweilige Sprache (und Dichtung) hat: „Wie ein-

zelne Menschen, so sind noch mehr Familien und Völker voneinander verschieden; nach dem Kreise ihrer Empfindungs- richtet sich auch ihre Denkart."[14]

Gewiß konnte Herder nicht mit der begrifflichen Strenge und Präzision Kants konkurrieren; seine „Metakritik" blieb ein philosophisch wenig überzeugendes Unternehmen. Aber dafür war die Sammlung von „Stimmen der Völker in Liedern" ein um so eindrucksvollerer Beweis für die individuellen Verschiedenartigkeiten innerhalb der Menschheit, und der historische Sinn Herders trug Früchte, die dann das folgende Jahrhundert ernten konnte.

Vernunft wurde eingebettet in ein größeres Ganzes. Das war schon bei *Fichte* so, als er gegen Descartes schrieb: „Das Denken ist gar nicht das Wesen, sondern nur eine besondere Bestimmung des Seyns, und es gibt außer jener noch manche andere Bestimmungen unseres Seyns."[15]

Das Ich ist also kein abstraktes *cogito*, sondern „Thathandlung", die „allem Bewußtseyn zum Grunde liegt und allein es möglich macht". Und bei *Hegel* erscheint schließlich die Vernunft auf dem Hintergrund der *Geistesgeschichte*, zwar als etwas, „das alle abstrakten Bestimmungen in sich zusammenhält", aber doch ganz anders als im Zeitalter der Aufklärung, denn sie hat nun „den Weg des Selbstbewußtseins im Rücken", ist kein leeres Wort, sondern „sich in sich entwickelnde Totalität" und damit „die substantielle Natur des Geistes".

Daß die Vernunft es mit dem *Geist* zu tun bekam, ist ihr nicht unbedingt zum besten geraten. Bei *Kant* war der Begriff des Geistes noch kein philosophischer terminus technicus gewesen; eher beiläufig läßt seine Anthropologie den Geist parallel zum französischen „Genie" erscheinen, als „das durch Ideen belebende Prinzip des Gemüts", vergleichbar mit Witz und Esprit. Kant traute dem „Geist" wohl nicht ganz über den Weg, jenem „mystischen Namen", der vor allem für Unsichtbares in Mode gekommen war. Für *Herder* sah das schon ganz anders aus. Wenn er hingebungsvoll das Genie

[14] J. G. Herder, Sprachphilosophie – Vom Erkennen und Empfinden der menschlichen Seele, Leipzig 1906, Sonderausgabe Heft 13, 77.

[15] J. G. Fichte, Grundlagen der gesamten Wissenschaftslehre von 1794, § 1.

Shakespeares rühmte und sich von dessen „dramatischem Geist" mitreißen ließ, dann empfand er alles andere als bloßen Witz oder Esprit. Das Genie war für ihn „mehr als Philosophie" und „der Schöpfer ein ander Ding als der Zergliederer"; am Ende wurden ihm Shakespeares Werke zu einer einzigen *Theologie des Geistes.* Und diese Theologie blieb auch im System *Hegels* wirksam, wenngleich Hegel nun nicht mehr das Genie über die Philosophie zu setzen suchte. Aber dafür machte er aus der Philosophie etwas anderes, als das Aufklärungsdenken je in der Betätigung von Vernunft gesehen hatte. Der Geist, der in der Arbeit Hegelscher Begriffe zu sich selber kommt, ist zwar seiner Substanz nach „Vernunft", aber eben *nur* der Substanz nach und nicht in seiner lebendigen Geschichte. Schon in seiner ersten Berner Abhandlung („Über Volksreligion und Christentum") hatte Hegel – ganz im Herderschen Sinne – die Vernunft als Derivat des Geistes gesehen: die Vernunft, die „das Gebäude von Begriffen, das sie aus dem Geiste des Menschen und der Erfahrung von Jahrhunderten geschöpft hat, mit Selbstgefälligkeit und Freude an ihrem Werke aufstellt". Später wird Hegels Diktion der Vernunft gegenüber moderater, aber eben nur, weil er sie in die Arbeit des Geistes integrieren und zu dessen Prinzip machen konnte: „Die Vernunft ist Geist, indem die Gewißheit, alle Realität zu sein, zur Wahrheit erhoben und sie sich ihrer selbst als ihrer Welt und der Welt als ihrer selbst bewußt ist."[16] Etwas verständlicher, aber der Sache nach unverändert, hat Hegel daraus seinen berühmten Satz gezogen, nach dem das Wirkliche vernünftig und das Vernünftige wirklich ist. Das Anstößige dieser Formel liegt nicht so sehr darin, daß sie die Realität – auch die politische – vorbehaltlos zu legitimieren scheint, sondern in der Art, wie sie die Vernunft vor den Karren der (faktischen) Geistesgeschichte spannt. Die Vernunft wird zur „beobachtenden", d.h. ihr Tun richtet sich zunächst von außen auf die Wirklichkeit, um dann in ihr sich selbst zu finden: „Wer die Welt vernünftig ansieht, den sieht auch sie vernünftig an" (Einleitung zur Philosophie der Ge-

[16] G. W. F. Hegel, Phänomenologie des Geistes, VI. Ausgabe Suhrkamp, Frankfurt 1986, 324.

schichte). Das heißt mit anderen Worten: Nur wer sich der Geschichte und ihren Dokumentationen mit vernünftigen Gesichtspunkten nähert, wird Zusammenhänge im Fluß der Geschehnisse finden und sie verstehen können; ohne Vernunft bleibt die Geschichte für jeden Betrachter nichts als Chaos. Aber daß nun die historische Wirklichkeit (genauso wie die der Natur) *in sich* und nicht nur für die beobachtende Vernunft vernünftig sein sollte, das mochte man im 19. Jahrhundert Hegel nicht mehr abnehmen. Die Synthese von (geschichtlichem) Geist und (abstrakter) Vernunft brach wieder auseinander, kaum daß Hegel sie vollzogen hatte. Zwar blieb der Humanismus eines *Wilhelm v. Humboldt, Schleiermacher,* eines *Boeckh* und *Savigny* dabei, die Geschichte als Wirken geistiger Mächte bzw. Ideen zu begreifen, aber die formal rechnende Vernunft wurde aus ihr herausgenommen und in das Gebiet der exakten Wissenschaften umgesiedelt. Dort durfte sie sich unbehelligt tummeln und ihre Formeln aufstellen, jedoch sahen die neuen „Geisteswissenschaften" mit kaum verhüllter Arroganz auf das Treiben der Real- bzw. Naturwissenschaften herab, und sogar der Mathematiker galt den selbsternannten Humanisten kaum als Kollege, wenigstens nicht an den aufblühenden „humanistischen Gymnasien".

Dabei ist diese sich während des 19. Jahrhunderts vollziehende Entwicklung eine sehr deutsche Angelegenheit. In Frankreich gab es die *sciences moral,* in England die entsprechenden *social-* bzw. *moral sciences;* erst bei den Schülern Hegels wurde der Terminus „Geisteswissenschaften" gebräuchlich, wohl durch die Schielsche Übersetzung von Stuart Mills *moral sciences.* Man versuche nur, das deutsche Wort „Geist" in eine andere Sprache zu übertragen; das Unternehmen wird scheitern. *Esprit* reicht bestenfalls für das Geistreiche, *mind* ist zu pragmatisch-empirisch getönt, *spiritus* bringt zwar die nötige Annäherung an Sakrales, aber ohne Bezug auf die Schöpfungen von Kunst und Kultur im weitesten Sinne, und *logos* wiederum ist zu statisch – nur Weltordnung ohne Weltgeschichte. Vor allem fehlt jeweils der romantische Sinn, der das Geistige bei den Wurzeln der Dinge, bei ihrem geheimnisumwitterten Ursprung ansiedelt. So ließ *Novalis* seinen Ofterdingen sagen: „Wenn ich das alles recht bedenke, so scheint es mir, als wenn ein Geschichtsschreiber notwendig auch ein Dichter sein müßte. Denn nur die Dichter mögen sich auf jene Kunst, Begebenheiten schicklich zu verknüpfen, verstehn. In ihren Erzählungen und Fabeln habe ich mit stillem Vergnügen ihr zartes Gefühl für den geheimnisvollen Geist des Lebens bemerkt..."[17]

Was immer das für ein Geist sein mag, Novalis wußte: „Nichts ist dem Geist erreichbarer als das Unendliche" (Neue Fragmente Nr. 722); der Geist hält sich nicht bei den Begrenztheiten des banalen Alltags auf. Er nimmt die Dinge im (poetischen) Sturm, und solch ein „Subjekt der Weltgeschichte" (Hegel) läßt sich nun wirklich durch kein fremdsprachliches Pendant ersetzen. *Hegel* hatte schon recht, wenn er vom Deutschen sagte, „daß darin selbst ein spekulativer Geist der Sprache nicht zu verkennen ist"[18].

Auch nachdem Hegel nicht mehr allein maßgebend war: Seine Lehre vom „Weltgeist" wirkte fort; von jenem Herrschenden, der über die endlichen Geister von Völkern und Staaten hinweg als „höherer Prätor" dafür sorgt, daß die Weltgeschichte zugleich auch Weltgericht ist. Auch als der sich ausbreitende *Historismus* den Weltgeist aus der Geschichte zu entfernen begann und einsehen lernte, daß das Geschichtliche immer auch das Relative sei, blieb das elitäre Selbstbewußtsein der Geisteswissenschaften ungebrochen.

Und doch war es nur noch ein Schatten seiner von Hegel beanspruchten Größe. Es klammerte sich nun an einen Methodengegensatz: In den Naturwissenschaften geht es darum, Gesetze der äußeren Wirklichkeit aufzustellen und physische Vorgänge zu *erklären;* die Geisteswissenschaften dagegen suchen die innere Welt des Menschen in ihrem geschichtlichen Werden zu *verstehen. Schleiermacher* hatte den Begriff der Hermeneutik eingeführt und zum methodischen Prinzip erhoben; *Wilhelm Dilthey* schloß sich diesem Konzept an und machte aus den Geisteswissenschaften die

[17] Novalis, Heinrich von Ofterdingen, Ausgabe Lambert Schneider Bd. 2, Berlin 1943, 88.

[18] G. W. Hegel, Wissenschaft der Logik, Vorrede zur 2. Auflage, Leipzig 1934, 10.

Achse seiner „Lebensphilosophie". Bezeichnend ist die Betonung des Wörtchens „nur", wenn er den Arbeitsbereich der Naturwissenschaften umreißt: „Jeder Ausdruck wie: Träger des Geschehens, Etwas, Tatsache, Substanz bezeichnet nur die der Erkenntnis transzendenten logischen Subjekte, von denen die gesetzlichen, mathematischen und mechanischen Beziehungen prädiziert werden. Sie sind nur Grenzbegriffe, ein Etwas, das naturwissenschaftliche Aussagen möglich macht, ein Ansatzpunkt zu solchen Aussagen."[19]
Dagegen die Geisteswissenschaften: „Ihr Umfang reicht so weit wie das Verstehen, und das Verstehen hat nun seinen einheitlichen Gegenstand in der Objektivation des Lebens. (...) Nur was der Geist geschaffen hat, versteht er. Die Natur, der Gegenstand der Naturwissenschaft, umfaßt die unabhängig vom Wirken des Geistes hervorgebrachte Wirklichkeit. Alles, dem der Mensch wirkend sein Gepräge aufgedrückt hat, bildet den Gegenstand der Geisteswissenschaften."[20]
Das heißt mit anderen Worten: Die Naturwissenschaften verstehen nichts; im Grunde ist ihr Geschäft geistlos, wenn nicht gar unmenschlich. Zwar war Dilthey zu vornehm, das direkt und unmißverständlich zu sagen. Aber gemeint hat er es wohl.
Die bleibende Leistung der historischen Schule liegt darin, Geschichte nicht mehr als etwas dem Menschen Äußerliches zu verstehen, als bleibe der Mensch seinem Wesen nach immer derselbe und als tropften die Ströme der Zeit an ihm ab wie Regen an einer Ölhaut. Was Dilthey und seine Nachfolger deutlich erkannten, war die *Geschichtlichkeit des Menschen,* die Wandelbarkeit seiner eigenen Natur und Innerlichkeit. Daß dafür der Titel „Geist" gewählt wurde, erschien zunächst als glückliche Lösung, war aber selbst Produkt der Zeitumstände; Hegels Philosophie warf immer noch gewaltige Schatten. Doch der im 19. Jahrhundert wirkende Drang, sich von Spekulationen weg den Tatsachen zuzuwenden, trieb schließlich „das Geistige" immer mehr in jene Hinterwelten,

[19] W. Dilthey, Der Aufbau der geschichtlichen Welt in den Geisteswissenschaften, Frankfurt 1981, II, 2, 104.
[20] Ebd. III, 3.1, 180.

in denen es schließlich vom psychologischen Spürsinn *Nietzsches* aufgestöbert und enttarnt wurde. Er beschrieb es als Illusion (die es in den Sonntagsreden der Wilhelminischen „Kultur" längst geworden war), und diese Entzauberung ließ die Weltgeschichte ohne einen tieferen Sinn zurück. Sie verfiel der Anarchie eines bloßen „Willens zur Macht":

„Welt/Spiel, das herrische
Mischt Sein und Schein: –
Das Ewig/Närrische
Mischt *uns* – hinein!..."

Das betraf genausogut die *Vernunft.* Wenn schon der große Weltgeist suspekt geworden war, so war es seine „Substanz" nicht minder; sie mußte sich für Nietzsche als metaphysische Fiktion erweisen, als eben jene Hinterweltsbühne, auf der er nicht mehr mitspielen mochte –, was natürlich nicht heißen kann, Nietzsche habe sein eigenes Philosophieren „mit dem Hammer" als unvernünftig angesehen. Aber die Vernunft hörte auf, der universale Maßstab zu sein, als der sie von der Aufklärung inauguriert worden war; sie mußte *abdanken* und sich ins Dienstleistungsgewerbe zurückziehen. Dort durfte sie bleiben, aber sie konnte so weder die Weltgeschichte beherrschen noch zu letzten Wahrheiten führen.

Seit Nietzsche hat sich die Situation wenig geändert. Der Verzicht auf die eine allgemeine und normative Vernunft hat zwar inzwischen etliche philosophische (und nicht-philosophische) Varianten gefunden, ist aber immer noch im Sinne Nietzsches ein unüberholtes und wohl auch unüberholbares Ereignis. Die Folgen mögen fatal sein, lassen sich aber nicht durch Stiftung neuer „Werte" aus der Welt reden. Nur darf man den Spieß nicht einfach umkehren und einen gleichwie gearteten *Irrationalismus* verkünden wollen. Das Irrationale, diese „Mißgeburt des ungedachten Rationalen" *(Heidegger)* ist kein erlösungsträchtiger Ausweg aus dem Dilemma der Vernunft, sondern nur der Versuch, in einem längst orientierungslos gewordenen Raum noch einmal „oben" und „unten" zu vertauschen. Das mag dann in mystifizierendem Reden von Yin und Yang (die beiden Prinzipien der frühen chinesischen Philosophie, etwa das Weiche und das Harte, das Weibliche und das Männliche, das

Beherrschte und das Herrschende) seinen Ausdruck finden oder Heilswege der Meditation propagieren; am Ende wird sogar eine neue Geistigkeit verkündet, die in Form kosmischer Energien zuströmen soll (vgl. Kap. II, 4.b). Doch ist der Jahrmarkt modischer Ideologien gewiß nicht der Ort, an dem sich das weitere Schicksal der Vernunft entscheiden kann. Ob und wie es entschieden wird, wird sich nur in der Form *konsequenten Fragens* erfahren lassen, ohne Vorwegnahme schneller Antworten. Und vielleicht liegt darin die Chance der Philosophie, sich noch einmal zu bewähren und sich ihres Ahnherrn *Sokrates* würdig zu erweisen.

3. Inflation der Vernunftkritiken

Es ist kein Zufall, daß die Irritationen, die Vernunft als Leitbild fragwürdig gemacht haben, durch eine stets noch wachsende Zahl von *Vernunftkritiken* kommentiert werden. Sie wenden sich allerdings nicht an die eine und einzige Vernunft, die seit *Descartes* das Denken der Neuzeit zu erleuchten versucht und Aufklärung nach sich gezogen hatte, sondern führen allerlei Attribute ein, die Aspekte der Vernunft zu betreffen scheinen, tatsächlich aber die Vernunft selbst *in den Plural* setzen. *Kant* hatte damit den Anfang gemacht, als er eine theoretische von einer praktischen Vernunft unterschied. Seine Titel haben Nachfolger gezeitigt, sogar eine ganze Inflation weiterer „Vernunftkritiken". Es geht bei ihnen nicht einmal um eine mit dem großen Vorbild kokettierende Titel-Stilistik. Die Vernunftkritiken unseres Jahrhunderts signalisieren, daß der Begriff der Vernunft in sich dubios geworden ist, und die Vielfalt der „Vernünfte" ist symptomatisch für den Vertrauensschwund, den die Vernunft selbst erlitten hat.
Kant selbst hatte zwar für einen einheitlichen Vernunftbegriff plädiert, ohne aber diese Einheit eigens begründen zu können (oder zu wollen); sie erschien ihm als eine nicht hinterfragbare Selbstverständlichkeit. Und doch war mit dem Auseinanderklaffen des Theoretischen und des Praktischen die Möglichkeit eröffnet, den

Begriff der Vernunft in einen hintersinnigen Plural zu setzen und damit die lange gehegte monadische Struktur von Rationalität aufzugeben.

Zwar hat sich der deutsche Idealismus zunächst gegen diese Möglichkeit gesträubt und mit aller Vehemenz versucht, die bedrohte Einheit der Vernunft zu sichern. So sah *Fichte* die Grundaufgabe der Philosophie darin, „alles Mannigfaltige auf absolute Einheit zurückzuführen" („Wissenschaftslehre" von 1804), aber das schien nur gelingen zu können, wenn man den Spieß umdrehte. Hatte noch bis zu Kant die theoretische Vernunft eine Art Vorrangstellung besessen, so sollte nun das praktische Prinzip der *Tat* an den Anfang rücken und Vernunft als etwas „Setzendes" begriffen werden. Das Ich „setzt" in einer „Thathandlung" das Nicht-Ich und bringt auf solch schöpferische Weise die Wirklichkeit allererst hervor, statt sie nur zu empfangen.

Allerdings kann das bloße Umdrehen einer philosophischen Akzentverteilung nicht unbedingt aus den Schwierigkeiten herausführen, die der Umgang mit diesem Akzent ohnehin bietet. *Hegel* hat das im Fall der Fichteschen Wissenschaftslehre klar erkannt, daß da nämlich „die reine leere Tätigkeit, das reinfreie Handeln" zwar als das Erste und einzig Gewisse der Philosophie genommen, aber zugleich die Vernunft „in die reine Abstraktion erhoben" wurde. Den Ausweg aus dieser Situation, in der Vernunft nur als formales Prinzip des Praktischen aufgetreten war, sah Hegel in der „Phänomenologie des Geistes", so, daß geschichtliches Leben der Vernunft ihren konkreten Gehalt geben mußte: „Die Geschichte des Geistes ist seine Tat, denn er ist nur, was er tut, und seine Tat ist, sich, und zwar hier als Geist, zum Gegenstand seines Bewußtseins zu machen, sich für sich selbst auslegend zu erfassen."[21]

In diesem Sinne ist für Hegel der Weltgeist in Bewegung. Die Beziehung zwischen theoretischer und praktischer Vernunft wird zum *dialektischen Prozeß*, wie überhaupt jede „vernünftige Bewegung, in welcher schlechthin getrennt scheinende durch sich selbst,

[21] G. W. Hegel, Rechtsphilosophie, § 343, Werkausgabe Suhrkamp Bd. 7, Frankfurt 1970, 504.

durch das, was sie sind, ineinander übergehen, die Voraussetzung (ihrer Getrenntheit) sich aufhebt"[22]. Die Zurücknahme der Vernunft in die geschichtliche Entfaltung des Geistes wurde für Hegel zugleich zum Rechtsgrund, diese Vernunft als etwas Ungeteiltes anzusehen.

Aber *Hegels* Versuch, die Einheit der Vernunft durch Dialektik zu retten, hat nur vorübergehend Erfolg gehabt. Durch den Doppelangriff von *Positivismus* und *Historismus* brach die Synthese wieder auseinander, und mit *Diltheys* Konzept einer *historischen Vernunft* trat etwas Neues auf den Plan. Dilthey hatte die Geisteswissenschaften auf den Boden geschichtlicher Erfahrung gestellt und von metaphysischen Spekulationen zu befreien versucht; er sah seine Aufgabe darin, die Vernunft aus der „reinen und feinen Luft der Kantischen Vernunftkritik" heraus- und an die konkrete Geschichte heranzuführen: „Ich habe früher diese Aufgabe als die einer Kritik der historischen Vernunft bezeichnet . . ."[23]

Zwar hat Dilthey den Begriff der „historischen Vernunft" nur gelegentlich gebraucht, aber doch an so zentralen Stellen, daß der Anspruch, eine „Kantische" Leistung zu vollbringen, unüberhörbar bleibt. Für Dilthey war Kant der Philosoph einer auf Naturerkenntnis gerichteten Vernunftlehre gewesen; seine eigene Vernunftlehre sollte der Geschichtserkenntnis dienen, und damit hatte Dilthey den ersten Schritt zur wundersamen Vermehrung der Vernunftbegriffe getan.

Erstaunlich ist, daß bei Dilthey eine systematische Auseinandersetzung mit der marxistischen Geschichtstheorie fehlt. Schließlich hatte auch *Karl Marx* versucht, von den metaphysischen Spekulationen Hegels wegzukommen und die Philosophie vom Kopf auf die Füße zu stellen. Aber dieser Versuch lag der geisteswissenschaftlichen Orientiertheit Diltheys wohl zu fern, als daß er ernsthaft hätte diskutiert werden können. Ähnliches gilt für *Heidegger* und seinen existentialontologischen Ansatz, der Diltheys Anregungen

[22] G. W. Hegel, Wissenschaft der Logik, I, Anm. 4, Leipzig 1934, 92.

[23] W. Dilthey, Der Aufbau der geschichtlichen Welt in den Geisteswissenschaften, Ausgabe Suhrkamp, Frankfurt 1981, 235/236.

aufnahm und zu einem fundamentalen Verständnis menschlicher Geschichtlichkeit vertiefte. Erst bei *Jean Paul Sartre* laufen die Fäden wieder zusammen: einerseits die existenzialistische, andererseits die marxistisch-dialektische Analytik menschlichen Daseins.

Herausgekommen ist dabei die voluminöse „Kritik der dialektischen Vernunft“ von 1960 (nach dem Vorgängerwerk „*Existentialisme et Marxisme*“). Sartres Bekenntnis zum Marxismus entspricht seinem politischen Engagement in den sechziger Jahren; tiefere Folgen hatte das nicht, denn Sartres Philosophie wurde von den Lehrmeistern der Studentenrevolten (vor allem der Frankfurter Schule) sehr bald in den Schatten gestellt. Das schränkt aber die grundsätzliche Bedeutung der Sartreschen Analysen nicht ein. Sie gehen davon aus, daß ein wesentlicher Rationalismus sich nicht damit begnügen kann, die Vernunft nur als Ordnungsinstrument für Gedanken anzusehen; sie muß die Strukturen der Wirklichkeit selbst erfassen, und die sah Sartre als *dialektisch* an:

„Das Ziel meines Unternehmens besteht also darin, herauszufinden, ob die positivistische Vernunft der Naturwissenschaften eben die ist, die wir in der Entwicklung der Anthropologie wiederfinden, oder ob das Erkennen und Verstehen des Menschen durch den Menschen nicht nur spezifische Methoden, sondern eine neue Vernunft, das heißt eine neue Beziehung zwischen dem Denken und seinem Gegenstand voraussetzt. Mit anderen Worten: Gibt es eine dialektische Vernunft?“[24]

Natürlich hatte Sartre für sich selbst die entsprechende Entscheidung längst getroffen, daß nämlich die *raison* der Naturwissenschaften nicht ausreiche, die Seinsweise des Menschen zu analysieren, weil „die Natur“ immer schon ein vom Menschen her entworfener Rahmen bestimmter, das Wissen objektivierender Einstellungen sei. Die Vernunft der Naturwissenschaften ist ein historisches Produkt des 17. Jahrhunderts und eingeordnet in den (dialektischen) Prozeß der Geschichte. Also ging es für Sartre darum, die Legitimität der dialektischen Betrachtungsweise im kon-

[24] J.P. Sartre, Kritik der dialektischen Vernunft, Reinbek bei Hamburg, 869.

kreten Verhalten geschichtlich handelnder Menschen nachzuweisen, ohne sie auf Naturbedingungen zurückzuführen.
Auf Einzelheiten kann hier nicht eingegangen werden. Das dialektische Prinzip liegt für Sartre darin, daß jemand nicht aus sich selbst heraus das ist, was er ist, sondern durch ihm gegenüber fremde Beziehungen bestimmt wird, z.B. durch Sozialstrukturen (er ist Glied einer Familie, Mitglied eines Vereins, Verkehrsteilnehmer, Teil einer Großstadtgesellschaft usw.). Sein Existieren bedingt sich vom anderen her, von dem her, was er selbst *nicht* ist. In diesem negativen Moment liegt die Relation, die für Sartre das Wesen dialektischer Vernunft ausmacht, und seine Beispiele wirken durchaus stichhaltig. Ob allerdings die Beschreibung konkreter Lebensverhältnisse dadurch reicher wird, daß man ihr den Theoriebegriff „dialektisch" hinzufügt, muß fraglich bleiben.
Was Sartres Analysen jedoch auszeichnet, ist ihr vehementes Angehen gegen alle Versuche, den Menschen auf ein konstantes, bleibendes „Wesen" hin festzulegen. Schon längst vor der „Kritik der dialektischen Vernunft" hatte Sartre das zu seiner Grundüberzeugung gemacht: Der Mensch ist nicht dieses oder jenes, sondern allen Wesensbestimmungen vorweg *Existenz* im Sinne einer Offenheit, gar eines Seinsmangels (eines „Fehlens von Sein"). Er löst sich nicht in irgendeinem Allgemeinheitsbegriff auf, und was die dialektische Vernunft dieser Existenzialität nur hinzufügen kann, ist die Beziehung offenen Existierens auf den gesellschaftlichen Prozeß, auf die Dynamik des Miteinanderseins.
An diesem Punkt setzt nun eine andere Vernunftkritik ein, nämlich die „Kritik der kollektiven Vernunft" des amerikanischen Wissenschaftsphilosophen *Stephen Toulmin.*[25] Toulmin steht zwar Sartres Existenzialismus völlig fern, aber grundsätzlich geht es bei ihm doch um ein Fragen in gleicher Richtung: wie denn der einzelne mit den Begriffssystemen, Kategorien und Gesetzen eines Kollektivs zusammenhängt. Wenn nämlich das Individuelle sich auf das Gesamte eines gesellschaftlichen Systems auswirkt und umgekehrt

[25] S. Toulmin, The Collective Use and Evolution of Concepts, 1972. Deutsche Ausgabe unter dem Titel „Kritik der Kollektiven Vernunft", Frankfurt 1978.

von diesem Gesamten bestimmt wird, so muß es darum gehen, die geschichtlichen Wandlungen innerhalb kultureller Systeme zu verfolgen, und die Kritik kollektiver Vernunft richtet sich gegen die Vorstellung, solche Systeme könnten als Konstanten angesehen werden.

Was *Dilthey* für die Breite und Vielfalt historischer Erfahrungen gefunden hatte – daß dort das Einzelne immer vor dem Allgemeinen kommt –, gilt bei *Toulmin* ebensogut geographisch: Verschiedene Völker leben synchron in völlig differierenden geistigen Koordinatensystemen, d.h. mit unterschiedlichen Sitten, Moralvorstellungen, Religionen usw.: „Welche Begriffe jemand verwendet, welche Maßstäbe vernünftigen Urteils er anerkennt, wie er sein Leben ordnet und seine Erfahrungen deutet, das alles hängt anscheinend nicht von den Eigenschaften einer allumfassenden Überzeugungskraft seiner Grundgedanken allein ab, sondern auch davon, wo er zufällig geboren wurde und lebte."[26]

Ethnologie und Geschichtsforschung kommen demnach nicht darum herum, die Relativität menschlicher Lebensverhältnisse, Weltanschauungen und Normen als Grundphänomen anzuerkennen. Nur ein Bereich wurde – wenigstens bis ans Ende des vorigen Jahrhunderts – systematisch ausgeklammert: In den *exakten Naturwissenschaften* kann es offenbar keine Relativität geben, Physik ist nicht Standpunktssache, mathematische Formeln gelten immer und allgemein. Daß aber eine solche Vorstellung nicht mehr als ein Vorurteil sei, ist *Toulmins* eigentliche These. Für ihn haben die Änderungen, die Einsteins Relativitätstheorie oder die Quantentheorie in der Physik bewirkten, den Glauben an die absolute Geltung naturwissenschaftlicher Denkformen grundsätzlich erschüttert, und Toulmin versucht zu zeigen, daß sogar die Mathematik kein Hort ewiger Wahrheiten sein kann. Wenn man nämlich Arithmetik, Logik und dergleichen treibt, so geschieht das immer schon auf dem Boden eines ganz bestimmten Bewußtseinsstandes, z.B. einer ausgebildeten Begrifflichkeit und Systematik, aber dieser Boden ist in sich Ergebnis komplizierter historischer Prozesse, *er wurde berei-*

[26] Ebd. 66.

tet und hätte anders bereitet werden können, als uns das vertraut und schon fast selbstverständlich ist.

Zwei Beispiele mögen diese Überlegungen Toulmins erläutern, auch wenn sie nicht aus seinem Werk stammen.

Unsere heutigen Vorstellungen von Zahlen gehen auf das Zählen selbst zurück, wobei eine feste Grundeinheit vorausgesetzt wird: die Eins. Indem man sie zu sich selbst addiert, erhält man als ihren Nachfolger die Zwei usw. Man kann vom Zählen her die gesamte Arithmetik aufbauen, ohne zu fragen, welche Prozesse eigentlich hinter dem Herauslösen fester Einheiten aus dem fluktuierenden Wandel alles Geschehens stecken. Daß Quantitäten sich auch anders als durch Nachzählen erfassen lassen, zeigt sich bei manchen Hirtenvölkern: *K. Menninger* zitiert in seinem Buch „Zahlwort und Ziffer" (1958) den Bericht eines Missionars über nomadisch lebende Indianer, deren Herden durch eine Unmenge von Hunden zusammengehalten wurden, und obwohl diese Indianer nicht zählen konnten, merkten sie doch sofort, wenn ein Hund fehlte. Offenbar besaßen sie eine besondere Fähigkeit, intuitiv auch große Mengen abzuschätzen; beim modernen Durchschnittseuropäer ist diese Fähigkeit bis auf einen kläglichen Rest verkümmert; er muß sich mit den Zahlen behelfen.

Ein anderes Beispiel, auch aus der Welt der Indianer, bringt *Benjamin L. Whorf*. Er weist darauf hin, daß die Hopis keine Zeitvorstellung in unserem Sinne kennen; für die moderne Physik ist Zeit eine fortlaufende Koordinate mit linearer Extension. Die Hopis leben in gewissem Sinne „zeitlos", ersetzen aber *Extension* durch *Intension.* Für sie läuft etwa ein Hase nicht „schnell", sondern „sehr"; es wird keine Geschwindigkeit als Quotient von Weg durch Zeit festgestellt, sondern die Eindringlichkeit eines Geschehens. Natürlich kann man so keine Physik in unserem Sinne betreiben, aber vielleicht eine andere, die zur Lebensweise der Hopis paßt. Es wäre leichtfertig, wollte man eine solche Möglichkeit als „falsch" abqualifizieren.

Toulmin jedenfalls sieht die moderne Naturwissenschaft als eine historisch-kulturelle Leistung, die nur unter ganz bestimmten Bedingungen möglich war und geschichtlich einmalig ist. Ihre Geltung muß relativiert, d.h. bezogen werden auf die Verhältnisse kollektiver Vernunft, wie sie sich im neuzeitlichen Abendland herausgebildet haben, und diese Verhältnisse sind nicht allgemeingültig: „So ist die wichtigste Schranke für die Ausdehnung der relativistischen Argumentation vom praktischen Verhalten auf wissenschaftliche Theorien gefallen. Heute bläst uns der Wind der historisch-kulturellen Vielfalt auf wissenschaftlichem Gebiet ebenso scharf ins Gesicht wie im praktischen Leben."[27]

Von hier aus ist es nur ein Schritt zu einer „Kritik der wissenschaftlichen Vernunft", wie sie *Kurt Hübner* vorgelegt hat.[28] Sie setzt bei der Quantentheorie ein, nämlich bei der widersprüchlichen Interpretation, die dieser junge Zweig der Physik erfahren hat. Es gibt da verschiedene Standpunkte, die sich im wesentlichen auf die Frage beziehen, ob die Wirklichkeit, die sich in quantenphysikalischen Phänomenen darstellt, etwas ist, das es substanziell und „an sich" gibt, oder ob ein Geflecht dynamischer Beziehungen die angeblichen Substanzen erst dann hervorbringt, wenn sie beobachtet werden. Den ersten Standpunkt haben Physiker wie Schrödinger, Einstein und später D. Bohm eingenommen: den anderen Niels Bohr, Born, Heisenberg und andere Vertreter der sog. „Kopenhagener Deutung der Quantentheorie". Nach *Hübner* ist der Streit nun weder durch Experimente noch durch neue Theorien zu entscheiden, denn er beruht – vor aller Einzelforschung – auf einem Gegensatz in den gedanklichen Grundvoraussetzungen (Axiomen): „Für *Einstein* sind Beziehungen durch Substanzen definiert; für *Bohr* sind Substanzen definiert durch Beziehungen. Diese allgemeinen philosophischen Standpunkte bilden die Grundlage der Diskussion."[29]

Solche Standpunkte werden nach Hübner nicht durch die wissenschaftliche Forschung selbst produziert, sondern haben *geschichtliche* Wurzeln, sind also in gewissem Sinne relativ. Wie ein Naturwissenschaftler sein Tun versteht, entscheidet er nicht aus eigener

[27] Ebd. 65/66.

[28] K. Hübner, Kritik der wissenschaftlichen Vernunft, Freiburg/München 1978.

[29] Ebd. 139.

Kompetenz, sondern auf Grund von Traditionen, die ihm selbst häufig verborgen bleiben. Außerdem gibt es immer wieder Umbrüche, die solche Traditionen in Frage stellen und durch Neubildungen ablösen. Diesen Gedanken hatte schon *Thomas S. Kuhn* entwickelt[30]: In der Geschichte der Wissenschaften kommt es immer wieder zu kritischen Situationen, die ein grundsätzliches Umdenken verlangen, einen *Paradigmenwechsel* wie etwa im Übergang vom geozentrischen zum heliozentrischen System. Die Diskussion hat während der siebziger Jahre Kuhns Vorstellungen in vielen Punkten revidiert (worauf hier nicht eingegangen werden kann); für *Hübner* geht es bei der Neuinstallierung eines wissenschaftlichen Paradigmas vor allem um die Festsetzung der Maßstäbe, von denen her sich die Forschung in ihrem weiteren Verlauf zu definieren sucht.

Fünf Hauptgruppen solcher Festsetzungen lassen sich unterscheiden: Da gibt es Festsetzungen über die Art, wie man zu Meßresultaten gelangt (instrumentale Festsetzungen); über die Methoden, wie man Versuchsergebnisse auswerten soll (funktionale Festsetzungen); über die Prinzipien, nach denen Naturgesetze aufgestellt werden (axiomatische Festsetzungen); über die Kriterien, nach denen Theorien angenommen oder verworfen werden (judikale Festsetzungen), und schließlich über die Eigenschaften, die eine Theorie überhaupt besitzen soll (normative Festsetzungen wie z.B.: Einfachheit, hoher Falsifizierungsgrad, Erfüllung bestimmter Kausalprinzipien, Übereinstimmung mit der Erfahrung usw.).[31]

Diese Aufzählung macht zweierlei deutlich: Erstens reicht das einfache Schema nicht aus, nach dem Naturwissenschaftler zunächst irgendwelche Experimente machen und danach aus deren Ergebnissen ihre Theorien aufbauen. Tatsächlich sind die Verhältnisse viel komplexer. Die häufig geäußerte These, die Naturwissenschaften seien empirisch und gingen von Tatsachen aus, ist zu simpel. Vor dem Einsatz empirischer Methoden liegen apriorische Voraus-

[30] T. S. Kuhn, Die Struktur wissenschaftlicher Revolutionen. Deutsch bei Suhrkamp, Frankfurt 1967.
[31] K. Hübner, aaO., 86.

setzungen, die sich aus der jeweiligen historischen Situation ergeben und ihrerseits nicht einfach „naturwissenschaftlich" sind. Zweitens erfaßt die obige Liste nur Kriterien der Naturwissenschaft, nicht aber das, was sich bei einem weitreichenden Paradigmenwechsel – z.B. auch auf dem gesellschaftlichen, ethischen, ästhetischen oder gar philosophischen Feld – abspielt. Hübner hat das keineswegs übersehen; sein Buch gipfelt in der These, die naturwissenschaftlich-technologische Denkart der Neuzeit sei an einen Punkt gelangt, wo ihre „entfesselte Rationalität" sich selbst ad absurdum führt, und er verweist auf die Möglichkeit, daß die „Wahrheit des Mythos" (so der Titel seines letzten Werkes) vielleicht wieder „allgemein erlebbar und erfahren werden kann". Auch Mythisches hat seine Axiome, seine judikalen und normativen Festsetzungen. Jedenfalls ist die Welt der Naturwissenschaft (und der auf ihr basierenden Technik) nicht die einzig mögliche, schon gar nicht die beste aller möglichen Welten.

Hübners These, Wahrheit finde sich in vielerlei Gestalt – im Mythos, in der Kunst, im Erlebnis des Numinosen (Religion!) – und nicht nur in den exakten Naturwissenschaften, verspricht einerseits Befreiung aus dem Gefängnis zu eng gefaßter Rationalität, ist aber fatal, wenn sie andererseits mit dem Köder eines postmodernen mythischen Denkens lockt. Darüber wird noch zu sprechen sein. Was aber deutlich wird, ist, daß die seit *F. Bacon* geltende Formel, Wissen sei Macht, an Attraktivität verloren hat. Und genau hier setzt die „Kritik der instrumentellen Vernunft" ein, die *Max Horkheimer* schon in den vierziger Jahren propagiert hatte.[32] Für Horkheimer ist die Vernunft in eine Krise geraten, seit man sie nicht mehr – wie noch in Antike und Mittelalter – als Verfassung des Universums, als *objektiv* in den Dingen selbst ruhende Instanz versteht, sondern als vom Menschen her (also *subjektiv*) entwickeltes Mittel, seine Zwecke zu verwirklichen. Seitdem ist sie ganz „in den gesellschaftlichen Prozeß eingespannt", und ihre Begriffe dienen lediglich dazu, praktikable Denktechniken zu entwerfen:

[32] M. Horkheimer, Kritik der instrumentellen Vernunft, Frankfurt 1967, neu als Fischer-TB, 1986.

„Man sieht in ihnen bloße Abbreviaturen der einzelnen Gegenstände, auf die sie sich beziehen. Jeder Gebrauch, der über die behelfsmäßige, technische Zusammenfassung faktischer Daten hinausgeht, ist als eine letzte Spur des Aberglaubens getilgt. Begriffe sind zu widerstandslosen, rationalisierten, arbeitssparenden Mitteln geworden. Es ist, als ob Denken selbst auf das Niveau industrieller Prozesse reduziert worden wäre, einem genauen Plan unterworfen – kurz, zu einem festen Bestandteil der Produktion gemacht. Toynbee hat einige der Konsequenzen dieses Prozesses für die Geschichtsschreibung aufgezeigt. Er spricht von der ‚Tendenz des Töpfers, zum Sklaven seines Tons zu werden . . .' In der Welt des Handelns wissen wir, daß es verhängnisvoll ist, Tiere oder menschliche Wesen zu behandeln, als wären sie Klötze und Steine. Warum sollten wir diese Behandlung in der Welt der Ideen als weniger irrig ansehen?"[33]

Horkheimer übt seine Kritik an der instrumentellen Vernunft aus einem *humanistischen Interesse.* Die objektive Vernunft hat ihre Kraft eingebüßt, die subjektive kann keine neue Kraft liefern und überläßt den Menschen einer schlimmen geistigen Anarchie. Alle Leitideen, die früher einmal schützend das Wesen des Menschen bewahren konnten, sind ohnmächtig geworden; niemand weiß mehr, wie Glück, Gleichheit, Toleranz als letzte Werte zu legitimieren sind. Man benutzt nur noch leere Vokabeln, Worthülsen für Sonntagsreden, aber kann sie nicht verifizieren. Und weil Verbindliches fehlt, werden die alten Leitbegriffe der Vernunft zu beliebig nutzbarem Material ideologischer Manipulation, „dreister Lüge". Reaktion und Obskurantismus, Dogmatismus und Aberglaube sind die Nutznießer. Sie berufen sich zwar auf den sogenannten „gesunden Menschenverstand", meinen aber nichts anderes als die neutralisierte, ohnmächtige Vernunft, die sich zu allem mißbrauchen läßt.

Instrumentelle Vernunft ist Vernunft als Mittel zum Zweck. Im gegenwärtigen Zeitalter aber weiß niemand mehr mit Sicherheit anzugeben, wo eigentlich die Zwecke liegen, welchem Ziel also alle

[33] M. Horkheimer, aaO., 30/31.

Veranstaltungen einer in die Hände des Menschen gegebenen Vernunft letztlich dienen:

„Die Krise der Vernunft manifestiert sich in der Krise des Individuums, als dessen Agens Vernunft sich entwickelt hat. Die Illusion, die die traditionelle Philosophie über das Individuum und die Vernunft entwickelt hat – die Illusion ihrer Ewigkeit –, ist im Begriff zu zergehen. Das Individuum faßte einmal die Vernunft ausschließlich als ein Instrument des Selbst. Jetzt erfährt es die Kehrseite seiner Selbstvergottung. Die Maschine hat den Piloten abgeworfen; sie rast blind in den Raum. Im Augenblick ihrer Vollendung ist die Vernunft irrational und dumm geworden. Das Thema dieser Zeit ist Selbsterhaltung, während es gar kein Selbst zu erhalten gibt."[34]

Horkheimer hat seine Kritik an der instrumentellen Vernunft (und damit an der Selbstauflösung des Individuums) als Appell verstanden: als Aufruf zu einer Besinnung auf echte Werte, sozusagen als moralische Aufrüstung. Dabei stand im Kontext dieser Besinnung die Unheilsmacht der faschistischen und stalinistischen Ideologien; vor dem Hintergrund der Jahrhundertmitte konnte Horkheimers Ethos einer zielorientierten Vernunft noch durchaus Sinn haben. Aber dreißig Jahre später hatte sich die Situation gründlich geändert. Das Ideal freier, verantwortlich handelnder, von zielbewußter Vernunft bestimmter Individuen war seinerseits verblaßt, auch im Rahmen demokratisch verfaßter Gesellschaften. Die Selbstgefälligkeit, mit der man im Westen die Würde des Menschen mitsamt allen „abendländischen Werten" hochhielt, erwies sich immer deutlicher als neue und raffinierteste Art geistiger Manipulation, als Instrument einer zynisch gewordenen Vernunft. Und so hat *Peter Sloterdijk* in seiner „Kritik der zynischen Vernunft" die Situation der Reagan-Ära als die eines apathisch gewordenen Zeitalters beschrieben:

„Nach den Jahrzehnten des Wiederaufbaus und dem der Utopien und ‚Alternativen' ist es, als ob ein naiver Elan plötzlich verlorengegangen wäre. Katastrophen werden herbeigefürchtet, neue Werte

[34] Ebd. 124.

finden starken Absatz, wie alle Analgetika. Doch die Zeit ist zynisch und weiß: Neue Werte haben kurze Beine. Betroffenheit, Bürgernähe, Friedenssicherung, Lebensqualität, Verantwortungsbewußtsein, Umweltfreundlichkeit – das läuft nicht richtig. Man kann es abwarten. Der Zynismus steht im Hintergrund bereit – bis das Palaver vorbei ist und die Dinge ihren Gang nehmen."[35]
Für die „schwunglose Modernität" mit ihrer Wurstigkeit Problemen gegenüber gilt: „Weil alles problematisch wurde, ist auch alles irgendwo egal" (Sloterdijk, 17). Ihr „Realismus" liegt darin, sich etwas vorzumachen: Die Notwendigkeit, etwas gegen Atomarsenale, Umweltzerstörung, soziale Ungerechtigkeit zu unternehmen, wird zwar eingestanden, und Aktionsprogramme sind schnell zur Hand, aber hinter allem, was man „vernünftigerweise" gern tun möchte und vielleicht sogar tut, steht das unglückliche Bewußtsein, daß man eigentlich gar nichts tun kann; sogar das vielberufene „Engagement" dient eher der Selbstberuhigung als tatsächlicher Veränderung:
„Der moderne Zyniker ist ein integrierter Asozialer, der es an unterschwelliger Illusionslosigkeit mit jedem Hippie aufnimmt. Ihm selber erscheint sein bös-klarer Blick nicht als persönlicher Defekt oder als privat zu verantwortende amoralische Marotte. Instinktiv versteht er seine Daseinsweise nicht mehr als etwas, das mit Bösesein zu tun hat, sondern als Teilhabe an einer kollektiven realistisch herabgestimmten Sehweise. Es ist die bei aufgeklärten Leuten allgemein verbreitete Form, darauf zu sehen, daß sie nicht die Dummen bleiben. Sogar etwas Gesundes scheint daran zu sein – wofür ja der Wille zur Selbsterhaltung im allgemeinen spricht. Es handelt sich um die Haltung von Leuten, die sich klarmachen, daß die Zeiten der Naivität vorbei sind."[36]
In dieser Situation pauschaler Gleichgültigkeit hört sogar die Möglichkeit effektiver Kritik auf. Weil sie weiß, daß sie nichts bewirken kann, zieht sich die Kritik auf die Position des Diogenes in seiner Tonne zurück; sie wird „zynisch", aber nicht nur im Sinne des anti-

[35] P. Sloterdijk, Kritik der zynischen Vernunft, Frankfurt 1983, 9/10.
[36] Ebd. 36.

ken Zynikers, des einzelgängerischen Kauzes und provozierenden Moralisten. Ihr Zynismus sitzt tiefer. Sloterdijk beruft sich auf *Walter Benjamin*, der schon in den zwanziger Jahren konstatiert hatte, der Zerfall der Kritik sei unausweichlich, „ihre Stunde sei längst abgelaufen“. Sie setzte eine Welt voraus, in der es noch Perspektiven gab und möglich war, einen Standpunkt einzunehmen. Damit ist es inzwischen vorbei. Die Standpunktslosigkeit, das „Ja . . . aber“, sind zur herrschenden Haltung geworden. Und damit ist für *Sloterdijk* seine eigene Vernunftkritik zugleich *die letzte Kritik an Vernunft überhaupt.* Es lohnt sich nicht mehr, Vernunft zu kritisieren, weil Vernunft nur noch den Charakter einer Ausrede hat.

Damit schließt sich ein Kreis. Am Anfang dieses Jahrhunderts hatte *Nietzsche* den Illusionismus des Vernunftglaubens aufzuweisen versucht und Vernunft als Chimäre demaskiert. Am Ende des gleichen Jahrhunderts scheint der Appell an Vernunft nur noch eine Form zynischen Denkens zu sein. „Sei vernünftig!“ heißt da soviel wie: Schließe dich meinen Maßstäben an und protestiere nicht; glücklich wird nur der „Vernünftige“, der sich nicht aufregt.
Das hatte schon Nietzsches Zarathustra gelehrt:
„‚Ehemals war alle Welt irre‘ – sagen die Feinsten und blinzeln. Man ist klug und weiß alles, was geschehn ist: so hat man kein Ende zu spotten. Man zankt sich noch, aber man versöhnt sich bald – sonst verdirbt es den Magen.
Man hat sein Lüstchen für den Tag und sein Lüstchen für die Nacht: aber man ehrt die Gesundheit.
‚Wir haben das Glück erfunden‘ – sagen die letzten Menschen und blinzeln.“[37]
War dieses „Vorwort“ ein letztes Wort?

[37] F. Nietzsche, Also sprach Zarathustra, Ausgabe Hanser, München o.J., Bd. II, 284/285.

Wäre alles so, wie *Sloterdijk* behauptet, und träfen die Analysen *Nietzsches* tätsächlich zu, dann könnte das Schicksal der Vernunft gleichgültig bleiben, sie würde zum Blinzeln des „letzten Menschen" verkommen und dürfte sich aus dem weiteren Geschehen unserer Geschichte hinausschleichen, zumal dieses Geschehen nur noch den Charakter absoluter Langeweile trüge. Konsequenterweise heißt es bei *Sloterdijk:* „Unsere schwunglose Moderne weiß zwar durchaus ‚historisch zu denken', zweifelt aber längst daran, in einer sinnvollen Geschichte zu leben. ‚Kein Bedarf an Weltgeschichte'."[38]

Aber es scheint, als hole diese Geschichte auch die zynisch gewordene Vernunft ein. Der Zusammenbruch zynischer Ideologien, die sich nur nach außen hin noch mit Etiketten wie „Sozialismus", „Marxismus", „Kommunismus" schmückten, war das große Ereignis des Jahres 1989 und hat die Welt zutiefst aufgewühlt. Eine neue Vernunft (oder ist es die alte?) scheint aufzukommen, und zwar nicht als elitare Randerscheinung, sondern als Ausdruck grundsätzlicher Hoffnung auf Sinn und Perspektiven.

Der Begriff des *Pluralismus* ist in den Mittelpunkt politischen Denkens gerückt. Zwar ist er keine Erfindung des günstigen Augenblicks (des *kairós* – oder soll man sagen: von Glasnost und Perestroika?), aber er hat durch das in Bewegung geratene Zeitgeschehen eine Kraft erhalten, die ihm bislang noch fehlte. Der Horizont, in dem geschichtlich von Pluralismus zu reden ist, wird nicht mehr von der „schwunglosen Moderne" Sloterdijks abgesteckt, sondern von „Postmoderne", was immer sich hinter diesem Schlagwort verbergen mag. *Wolfgang Welsch* sieht es so: „Die Postmoderne ist diejenige geschichtliche Phase, in der radikale Pluralität als Grundverfassung der Gesellschaften real anerkannt wird und in der daher plurale Sinn- und Aktionsmuster vordringlich, ja dominant und obligat werden. Sie stellt eine zuinnerst positive Vision dar. Sie ist von wirklicher Demokratie untrennbar."[39]

[38] P. Sloterdijk, Kritik der zynischen Vernunft, 10.
[39] W. Welsch, Unsere postmoderne Moderne, Weinheim 1988, 5.

Nur gilt es hier aufzupassen und die Spreu vom Weizen zu trennen. Erstens ist es riskant, eine neue Zeit auszurufen, wenn die Ereignisse noch völlig im Fluß sind. Ob wir heute tatsächlich im Umbruch von der Moderne zur Postmoderne stehen, sollte von späteren Betrachtern entschieden werden. Wer noch mitten im Strom der Ereignisse lebt, hat kaum den genügenden Abstand, sie sachgemäß zu klassifizieren. Zweitens aber besteht die Gefahr, *Pluralismus mit bloßer Beliebigkeit zu verwechseln.* Wird Pluralität akzeptiert, so kann jeder Unsinn den Anspruch auf Wahrheit erheben, und es bliebe nur, mit *Tucholsky* zu sagen: „Ihr habt ja alle so recht!"

Von Postmoderne kann man wohl nur dann sachgemäß reden, wenn zuvor klargestellt ist, was es mit jener *Moderne* auf sich hat, gegen die das „Post . . ." sich abzusetzen sucht. Aber bereits da wird es schwierig. Wann die Moderne beginne und was sie kennzeichne, ist eine Frage, deren Beantwortung von Standpunkten abhängt. Für den einen mag sich das Stichwort „modern" mit unserem zwanzigsten Jahrhundert verbinden, für den anderen erscheint Modernes bereits in lange zurückliegenden Epochen, manchmal schon in der Antike, später vielleicht bei Augustinus, auf jeden Fall im 18. Jahrhundert, als z.B. *Diderot* einen Enzyklopädie-Artikel über die Moderne schrieb. In der Tat hat die Aufklärung das Bewußtsein, modern zu sein, konzipiert und geprägt, und zwar vor dem Hintergrund rational-wissenschaftlichen Denkens. Trotzdem war das noch nicht „Moderne" im vollen Sinn des Wortes. Es mußte ein weiteres Moment hinzutreten, das des Avantgardistischen, und von ihm kann man erst im 19. Jahrhundert reden, etwa bei *Baudelaire* oder als *Arno Holz* sein „Buch der Zeit" mit dem Untertitel „Lieder eines Modernen" herausbrachte (1884). Da war das Moderne als Begriff für einen Umbruch im Sinne des Sozialrevolutionären gemeint, als Protest gegen verstaubte Lebens- und Ordnungsformen der Gesellschaft, aber nicht nur mit politischen Akzenten, sondern ebenso als ästhetische Revolution. Charakteristisch ist in jedem Fall, daß Modernität im *Horizont der Kunst* erscheint, sehr bald (etwa seit dem Jugendstil) über das Literarische hinaus bei Malern, Bildhauern, Musikern, schließlich in der Architektur.

Abzugrenzen ist die Moderne gegenüber der *Neuzeit.* Deren Begriff steht im Kontext geschichtlicher Epochisierungen und erscheint, wo es darum geht, das mit Renaissance und Reformation einsetzende Neue zu bezeichnen. Bei *Descartes* wird dieses Neue der Neuzeit an die Selbstgewißheit des erkennenden Subjekts gebunden; es gehört zum Aufbruch der Wissenschaften (etwa mit *F. Bacons* „Neuem Organon") und macht den Weg zur rational-technologischen Organisation der Welt frei. Erst im 20. Jahrhundert treffen beide aufeinander: Das Neuzeitliche und das Moderne, das Rationale und das Ästhetische gehen eine eigenartige Symbiose ein, die am deutlichsten im Konzept „moderner" Architektur erscheint.

Diese Architektur wandte sich mit ihren Hauptvertretern (*Le Corbusier* wäre zu nennen) gegen die Fassadenwelt der Wilhelminischen Epoche, gegen den Schwulst von Neugotik und Neobarock. Gefordert wurde stilistische Ehrlichkeit: der Verzicht auf das äußerliche Ornament, die Einheit von Inhalt und Form, funktionale Strenge, die am Bau das und nur das erscheinen lassen wollte, was einer konkreten Aufgabe dient. Es liegt auf der Hand, daß damit Gesinnung verlangt war, das Ethische noch vor dem Ästhetischen; Streben nach Reinheit, um die Baukunst autonom werden zu lassen. Allerdings führte das Streben nach Autonomie bald zu einer Ablösung vom konkreten Zweck: Die „modernen" Bauten wurden gerade *nicht* von ihrer unmittelbaren Funktion her konzipiert, sondern auf eigentümliche Weise stereotyp; aus Autonomie wurde Uniformität. Ein Fabrikgebäude unterschied sich nicht wesentlich von einem Bürohaus, ein Sportzentrum nicht von einem Getreidesilo, eine Markthalle nicht von einem Flugzeughangar. Was als Überwindung anthropomorpher Elemente verkündet wurde, erwies sich am Ende als inhuman (ob es sich nun um Wohnblocks oder um Schulbauten handelte): Überall schlug die Massierung von Glas und Beton das Menschliche tot. Und diese Tendenz zur Uniformisierung (erst als „Internationalität" gefeiert) führte dazu, daß schließlich eine Stadt aussah wie die andere und man Frankfurt mit Manhattan verwechseln konnte. Die „Unwirtlichkeit unserer Städte" (A. Mitscherlich) entsprach dem „unbehausten Menschen" (E. Holthusen).

Daß nun die Überwindung von Scheinautonomie und tatsächlicher Öde besonders von Architekten gefordert wurde, ist kein Zufall. Um die Mitte der siebziger Jahre bürgert sich ein neuer Begriff ein: Man müsse die fade gewordene Moderne durch die Vision einer reicheren *Postmoderne* überhöhen und ablösen. Zwar stammt der Begriff „postmodern" aus amerikanischen Literaturdebatten, aber Boden gewann er erst durch kritische Stimmen gegen die Betonwelt moderner Einheitsbauten (*Charles Jencks* u.a.). Danach dauerte es freilich nicht lange, und die Ausrufung der Postmoderne wurde zu einer allgemeinen Doktrin. Sie wandte sich gegen die Absolutheitsansprüche reiner Rationalität, gegen globale Technisierung, gegen stupide Wissenschaftsgläubigkeit, gegen Umweltzerstörung und gegen die völlige Vermarktung unseres Lebens. Nicht mehr die *eine* Vernunft sollte es sein, sondern eine Vielzahl möglicher Rationalitätsformen, also genau das, was sich durch die Inflation von verschieden akzentuierten Vernunftkritiken bereits angedeutet hatte. Wie es *W. Welsch* zusammenfassend formuliert:
„Die Grunderfahrung der Postmoderne ist die des unüberschreitbaren Rechts hochgradig differenter Wissensformen, Lebensentwürfe, Handlungsmuster. Diese konkreten Formen von Vernunft weisen sich eigentätig als sinnvoll aus ... Das alte Sonnen-Modell – die eine Sonne für alles und über allem – gilt nicht mehr, es hat sich als unzutreffend erwiesen. Wenn man diese Erfahrung nicht verdrängt, sondern wirksam werden läßt, gerät man in die ‚Postmoderne'. Fortan stehen Wahrheit, Gerechtigkeit, Menschlichkeit im Plural."[40]
Dabei steht der Begriff der Postmoderne nicht isoliert; er fügt sich in ein Netzwerk ähnlich formulierter Stichwörter wie z.B. „postindustrielle Gesellschaft", „Post-Strukturalismus", „Post-Empirismus", „Post-Rationalismus" usw. Das „Postische" zeigt sich in verschiedener Couleur, doch immer so, daß damit eine grundsätzliche Epochenschwelle gemeint ist, obwohl, wie *A. Wellmer* betont, die Konturen des neuen Bewußtseins „noch unklar, verworren und zweideutig sind": „... Dessen zentrale Erfahrung aber – die vom

[40] Ebd.

Tode der Vernunft – das definitive Ende eines historischen Projekts anzudeuten scheint: des Projekts der Moderne, des Projekts der europäischen Aufklärung, oder schließlich auch des Projekts der griechisch-abendländischen Zivilisation. Freilich gleicht das Netzwerk „postistischer" Begriffe und Denkweisen einem Vexierbild: man kann in ihm, bei geeigneter Blickrichtung, auch die Konturen einer radikalisierten Moderne, einer über sich selbst aufgeklärten Aufklärung, eines post-rationalistischen Vernunftbegriffs entdecken."[41]

Den Anstoß zu dieser Relativierung des Vernunftbegriffs hatte die *Wissenschaftstheorie* gegeben. Ihre zentrale Frage war die nach der Geltung naturwissenschaftlicher Theorien. *R. Carnap* hatte noch versucht, Maßstäbe für die Verifizierung solcher Theorien zu finden, doch als er damit scheiterte, setzte sich zunächst der Falsifikationismus *Karl R. Poppers* durch. Man kann versuchen, die Richtigkeit einer naturwissenschaftlichen Theorie durch Beobachtungen bzw. Experimente zu erweisen, aber es gibt in dieser Hinsicht nur immer begrenzt viele Erfahrungen, d.h. kein empirisches Resultat kann endgültig sein. Dagegen bringt eine einzige Tatsache, die gegen eine vorgeschlagene Theorie spricht, diese Theorie zu Fall. Das Verhältnis zwischen Verifikation und Falsifikation ist also ausgesprochen unsymmetrisch. Allerdings kann der Begriff „Tatsache" so problematisiert werden, daß er seinen Absolutheitsanspruch verliert. Was als Tatsache akzeptiert werden soll, muß erst einmal axiomatisch festgelegt werden, ehe man sich dem empirischen Verfahren in die Arme wirft. Daß die Sonne morgens im Osten auf- und abends im Westen untergeht, kann man als Faktum betrachten, obwohl sich vom astronomischen Standpunkt aus die Verhältnisse völlig anders darstellen. Das Beispiel mag als zu billig abgelehnt werden, aber die Relativierung von Tatsachen spielt auch auf höheren Betrachtungsebenen eine entscheidende Rolle, und damit wird Poppers ursprünglicher Vorschlag, Falsifizierbarkeit zum Maßstab wissenschaftlicher Theorien zu machen, suspekt. Wie sich Theo-

[41] A. Wellmer, Zur Dialektik von Moderne und Postmoderne – Vernunftkritik nach Adorno, Frankfurt 1985, 48.

rien immer wieder vor empirischer Widerlegung retten lassen, hat *Imre Lakatos* durch ein zwar fiktives, aber dennoch bezeichnendes Beispiel aus der Wissenschaftspraxis veranschaulicht. Er erzählt eine kleine Geschichte:

„Die Geschichte betrifft einen imaginären Fall planetarischer Unart. Ein Physiker in der Zeit vor Einstein nimmt Newtons Mechanik und sein Gravitationsgesetz N sowie die akzeptierten Randbedingungen A und berechnet mit ihrer Hilfe die Bahn eines eben entdeckten kleinen Planeten p. Aber der Planet weicht von der berechneten Bahn ab. Glaubt unser Newtonianer, daß die Abweichung von Newtons Theorie verboten war und daß ihr Beweis die Theorie N widerlegt? – Keineswegs. Er nimmt an, daß es einen bisher unbekannten Planeten p' gibt, der die Bahn von p stört. Er berechnet Masse, Bahn etc. dieses hypothetischen Planeten und ersucht dann einen Experimentalastronomen, seine Hypothese zu überprüfen. Aber der Planet p' ist so klein, daß selbst das größte vorhandene Teleskop ihn nicht beobachten kann: Der Experimentalastronom beantragt einen Forschungszuschuß, um ein noch größeres Teleskop zu bauen. In drei Jahren ist das neue Instrument fertig. Wird der unbekannte Planet p' entdeckt, so feiert man diese Tatsache als einen neuen Sieg der Newtonschen Wissenschaft. – Aber man findet ihn nicht. Gibt unser Wissenschaftler Newtons Theorie und seine Idee des störenden Planeten auf? – Nicht im mindesten! Er mutmaßt, daß der gesuchte Planet durch eine kosmische Staubwolke vor unseren Augen verborgen wird. Er berechnet Ort und Eigenschaften dieser Wolke und beantragt ein Forschungsstipendium, um einen Satelliten zur Überprüfung seiner Berechnungen abzusenden. Vermögen die Instrumente des Satelliten (darunter völlig neue, die auf wenig geprüften Theorien beruhen) die Existenz der vermuteten Wolke zu registrieren, dann erblickt man in diesem Ergebnis einen glänzenden Sieg der Newtonschen Wissenschaft. Aber die Wolke wird nicht gefunden. Gibt unser Wissenschaftler Newtons Theorie, seine Idee des störenden Planeten und die Idee der Wolke, die ihn verbirgt, auf? Nein! Er schlägt vor, daß es im betreffenden Gebiet des Universums ein magnetisches Feld gibt, das die Instrumente des Satelliten gestört hat. Ein neuer

Satellit wird ausgesandt. Wird das magnetische Feld gefunden, so feiern Newtons Anhänger einen sensationellen Sieg. – Aber das Resultat ist negativ. Gilt dies als Widerlegung der Newtonschen Wissenschaft? – Nein. Man schlägt entweder eine neue, noch spitzfindigere Hilfshypothese vor, oder ... die ganze Geschichte wird in den staubigen Bänden der wissenschaftlichen Annalen begraben, vergessen und nie mehr erwähnt."[42]

Die Geschichte ist zu schön, um wahr zu sein. Aber es gibt ähnliche Geschichten, die sich durchaus ereignet haben, etwa im Bereich der modernen Teilchenphysik oder der Kosmologie. Ginge es in den Wissenschaften immer so konsequent zu, wie das von außen scheinen mag, dann könnten sie vielleicht mit sicher fundierten Theoriegebäuden aufwarten. Ihre Geschichte zeigt aber anderes. Theorien werden nicht aufgrund unerschütterlicher Kriterien angenommen oder verworfen, sondern gewinnen ihre Akzeptanz aus der Übereinstimmung mit den allgemeinen Grundvorstellungen (Paradigmen), die für eine bestimmte Epoche als tragfähig gelten, und nur innerhalb eines solchen Rahmens haben dann Verifikations- oder Falsifikationsverfahren überhaupt Sinn. Ein Standpunkt oberhalb dieses Niveaus, sozusagen aus göttlicher Perspektive, ist nicht möglich. Selbst als gesichert erscheinende Theorien wie die Newtonsche Physik gelten nur in bestimmter Hinsicht, z.B. im Alltagsleben, aber über diesen eng begrenzten Horizont hinaus werden sie fragwürdig oder gar unbrauchbar. Die Phänomene, die dann in den Blick kommen, verlangen einen größeren Spielraum an theoretischen Möglichkeiten: den pluralistischen Wettstreit der Ideen.

H. Spinner hat schon 1974 „Pluralismus als Erkenntnismodell" gefordert: „Die Institutionalisierung *einer* Methode oder Lebensform läuft praktisch auf deren Dogmatisierung hinaus, auch wenn es sich um eine wirklich kritische Methode und eine wirklich rationale Lebensform handeln sollte. Das darf in einer offenen, demo-

[42] I. Lakatos/A. Musgrave (Hg.), Kritik und Erkenntnisfortschritt, Braunschweig 1974, 98/99.

kratischen Gesellschaft nicht einmal mit der kritischsten Methode, mit der rationalsten, besten oder schönsten Lebensform gemacht werden."[43]

Spinner nennt diese Auffassung „fallibilistisch", weil sich in ihr die Überzeugung ausdrückt, der Mensch als fehlbares (fallibles) Wesen könne überhaupt nicht endgültig gesichertes Wissen gewinnen, weil „alle unsere Erkenntnis Menschenwerk, durch und durch menschlich – allzumenschlich ist, imprägniert mit unseren Wünschen, Hoffnungen und Ängsten, mit unseren Vorurteilen, Irrtümern und fixen Ideen, vor allem aber voll von menschlichen Fehlern aller Art, wodurch die Wahrheit ... zu einer höchst verborgenen, nie mit Sicherheit erkennbaren Angelegenheit wird"[44].

Diese These ist nicht neu. Sie kann sich auf die Anthropologie Augustins berufen oder auf Nietzsche, tatsächlich aber steht sie im Gefolge der anarchistischen Erkenntnislehre *Paul Feyerabends,* und der Satz Spinners, die Methode der Wissenschaft sei, wie die Wissenschaft selbst, „unvollständig, unzuverlässig und irrational", könnte auch von seinem Lehrmeister stammen. Feyerabend hatte schon 1970 „Wider den Methodenzwang" geschrieben und dabei provozierend gefragt: „Was ist die Wissenschaft *wert?* Ist sie besser als die Kosmologie der Hopi, die Wissenschaft und Philosophie des Aristoteles, die Lehre vom Tao? Oder ist sie ein Mythos unter vielen, entstanden unter besonderen historischen Bedingungen?"[45]

Die Antwort Feyerabends steckt in seinen Fragen, und seine daraus folgende These ist berühmt geworden: „Anything goes" – Mach, was du willst! (Feyerabend, 45). Sie räumt der Wissenschaft grenzenlose Freiheit ein, und wer dem nicht zustimmen will, gehört für Feyerabend denen an, die nur ihre „niedrigen Instinkte" zu befriedigen suchen, nämlich „die Sucht nach geistiger Sicherheit in Form von Klarheit, Präzision, ‚Objektivität', ‚Wahrheit'". Allerdings hat Feyerabend später eingeschränkt, die Formel „anything goes" sei

[43] H. Spinner, Pluralismus als Erkenntnismodell, Frankfurt 1974, 228.
[44] Ebd. 43.
[45] P. Feyerabend, Wider den Methodenzwang. Originaltitel: Against Method: Outline of an Anarchistic Theory of Knowledge. Deutsch bei Suhrkamp, Frankfurt 1976, 11.

das Schlagwort, mit dem eingefleischte Rationalisten seine anarchistische Erkenntnislehre zu diskreditieren suchten, drücke also nicht genau das aus, was er tatsächlich meinte. Aber das dürfte eine Schutzbehauptung sein. Wenn er betont, die Praxis eines afrikanischen Medizinmannes, Kranke durch Zauber zu heilen, sei genauso erfolgreich wie die europäische Schulmedizin, dann scheint für ihn eben doch alles zu gehen.[46]

Feyerabends „Erkenntnistheorie" ist wohl die radikalste Form, in der sich Pluralismus darstellen kann, aber deswegen nicht die am besten begründete. Sie geht von historisch-gesellschaftlichen Vergleichen aus, z. B. dem eben genannten Fall, in dem Magie so erfolgreich zu sein scheint wie Schulmedizin. Aber solche Vergleiche können hinken und setzen vor allem nicht nur Fakten, sondern immer schon eine bestimmte Interpretation dieser Fakten voraus, und über sie kann man geteilter Meinung sein. Einen tiefer greifenden Weg, Pluralismus zu begründen, hat die Sprachanalytik des späten *Ludwig Wittgenstein* gewiesen. Seine Theorie der *Sprachspiele* zeigt, daß menschliches Denken und damit jede Rationalitätsform von den Strukturen der Sprache abhängig ist, in denen es sich vollzieht, und diese Strukturen haben alle Eigenarten von nach bestimmten Regeln ablaufenden Spielpartien.

So ist es ein Unterschied, ob man Gegenstände beschreibt, über Hergänge berichtet, Hypothesen aufstellt oder prüft, Geschichten erfindet, Witze erzählt, Gedichte schreibt, flucht, bittet oder betet: In jedem Fall wird zwar Sprache verwendet, aber die Art, *wie* sie verwendet wird, ist jeweils verschieden geregelt. In entsprechenden Regeln bewegen wir uns ständig, meist ohne ihnen besondere Aufmerksamkeit zu widmen. Aber da es nicht möglich ist, alle nur immer denkbaren Sprachspiele unter ein gemeinsames Dach zu bringen, wird die Sprache selbst zu einem Hort der Vielfalt: „Und diese Mannigfaltigkeit ist nichts Festes, ein für allemal Gegebenes; sondern neue Typen der Sprache, neue Sprachspiele, wie wir sagen können, entstehen und andre veralten und werden vergessen."[47]

[46] P. Feyerabend, Erkenntnis für freie Menschen, Frankfurt 1980, 15.
[47] L. Wittgenstein, Philosophische Untersuchungen, I. 23. Suhrkamp-TB, Frankfurt 1971, 24.

Von Wittgensteins Theorie der Sprachspiele führt ein gerader Weg zu *Jean-Francois Lyotard,* dem französischen Philosophen der Postmoderne. Nur geht Lyotard einen Schritt weiter als Wittgenstein. Für ihn sind die Sprachspiele nicht eigentlich Spiele, sondern Satz-Regelsysteme, d.h. Ordnungsformen, die Sätze miteinander verketten. Eine bestimmte Art von Frage erfordert z.B. eine bestimmte Art von Antwort: „Wie spät ist es?" – „Es ist (soundsoviel) Uhr." Allerdings liegen die Verhältnisse längst nicht immer so einfach, daß die Verkettung von Sätzen gar keine Wahl läßt, wie es nach einem bestimmten Anfang weitergehen soll. Eine Frau sagt zu ihrem Mann: „Der Mülleimer ist voll." Wenn nun der Mann erwidert: „Gut, ich geh' schon", so ist das keine aus Regeln logisch herleitbare Reaktion; man könnte sich ganz andere Fortsetzungen des „Diskurses" vorstellen.[48] Gelegentlich kann die Verkettung völlig unerwartet erfolgen. „Ein Offizier schreit *Avanti* und stürzt aus dem Schützengraben; seine Soldaten schreien ergriffen *Bravo!,* ohne sich zu rühren."[49] Lyotard beschränkt die Geltung von Satzregeln auf die jeweils gewählte Diskursart, während für ihn der Übergang von einer Diskursart zu einer anderen frei erfolgen kann: „Einzig die Verkettung ist notwendig, nichts weiter. Innerhalb einer Diskursart gehorchen die Verkettungen Regeln, die Einsätze und Zwecke festlegen. Aber im Übergang von einer Diskursart zur anderen kennt man weder derartige Regeln noch einen allgemeinen Zweck."[50]

Da es nun vielerlei unterschiedliche Diskursarten gibt, herrscht in der Sprache ihr Wettstreit *(ágon);* eine übergeordnete Instanz, die alle Diskursarten unter einen Hut bringen könnte, gibt es nicht. Der Widerstreit *(différend)* ist das unaufhebbare Prinzip im sprachlichen Pluralismus; jeder Satz eröffnet ein Universum, aber es gibt angesichts vieler Sätze und Universen kein Allgemeines, das aus ihnen eine Einheit (z.B. „die Sprache") bilden könnte.

Wohlgemerkt: Hier ist nicht die Rede von verschiedenen Sprachsystemen (dem Deutschen, dem Englischen, dem Lateinischen, dem

[48] J.-F. Lyotard, Der Widerstreit, München ^{2}1987; Nr. 30, 40.
[49] Ebd. Nr. 43, 61.
[50] Ebd. Nr. 43, 60.

Chinesischen) und davon, daß es prinzipiell unmöglich ist, exakt von einer Sprache in eine andere zu übersetzen. Auch da wäre jede Sprache ein in sich geschlossenes Universum; *Whorf* hat auf ein entsprechendes „linguistisches Relativitätsprinzip" hingewiesen. Bei *Lyotard* beginnt die Relativität (oder besser: die Pluralität) bereits innerhalb einer Sprache selbst, einfach dadurch, daß man in ihr verschiedene „Diskursarten" wählen und zwischen ihnen wechseln kann. Der Widerstreit ist inneres Prinzip des Sprachlichen, und dem Philosophen bleibt nur, sich auf ihn einzulassen und ihn auszuhalten. Wegschaffen kann er ihn nicht.

Die Position Lyotards ist wohl die konsequenteste, die der postmoderne Pluralismus angenommen hat. Schon in seinem Buch „La Condition postmoderne"[51] hatte er darauf hingewiesen, daß die Zeit der großen „Meta-Erzählungen" vorbei sei, d.h. die Zeit der umfassenden, einheitlichen Weltdeutungen, die alles aus einem Punkt (dem archimedischen!) verstehen wollen. Stattdessen ist die Vielzahl heterogener Sprachspiele, Handlungsformen und Lebensweisen angesagt: Auflösung des Totalitären und Freigabe des Einzelnen. Genau das wäre im Sinne Lyotards „postmodern".

Natürlich gibt es weitere Deutungen und Interpretationen der Postmoderne; *Albrecht Wellmer* und *Wolfgang Welsch* haben sie zusammengetragen und untersucht.[52] So sehr dabei Pluralismus als Freiheitsform begrüßt wird, so ist doch immer das Bemühen spürbar, dem Gespenst der Beliebigkeit zu entgehen, das bereits bei *Feyerabend* die Geisterstunde der Vernunft einläutete. *Lyotard* hat versucht, eine Art Gerechtigkeitsprinzip zu entwickeln: Wird eine Diskursart gewählt, so drängt sie zwar andere zur Seite, aber auch ihnen müsse man *gerecht* werden. Nur solche Gerechtigkeit könne die „Integrität des Denkens" gewährleisten. Damit verschiebt sich das Schwergewicht vom Erkenntnisproblem auf die ethische Seite. *Feyerabend* stützt sich lieber auf Bürgerinitiativen: Die Menschen

[51] J.-F. Lyotard, Das postmoderne Wissen, Bremen 1982; Neuausgabe Graz/Wien 1986.

[52] A. Wellmer, Zur Dialektik von Moderne und Postmoderne – Vernunftkritik nach Adorno, Frankfurt 1985; W. Welsch, Unsere postmoderne Moderne, Weinheim ^{2}1988.

haben das Recht, so zu leben und zu denken, wie es ihnen paßt: „Im Leben entscheidet eben der *Wettstreit vieler Werte,* nicht ein einzelner Wert – und dieser Wettstreit ist immer das Ergebnis (individueller und damit auch kollektiver) Entschlüsse."[53]
Das ist sehr sympathisch und sehr human. Aber es löst keine Erkenntnisprobleme und überläßt jedem einzelnen, was er für wahr und wirklich halten will. Ein Anhänger der anarchistischen Erkenntnislehre *(H. P. Duerr)* hat einmal gefragt, ob Hexen fliegen können. Er verweist auf alte Berichte, nach denen gewisse Nachtschattengewächse Alkaloide enthalten, und wer sich mit daraus zubereiteten „Hexensalben" einschmiert, erlebt seltsame Veränderungen der Wirklichkeit; schließlich kann er sich vom Boden erheben und herumfliegen.[54] Wenn nun eingewandt wird, das sei doch bloß eine Halluzination, in Wirklichkeit bleibe der „Flieger" am Boden und sei gar nicht geflogen, bietet Duerr als Gegenargument an: Was wir „Wirklichkeit" nennen, ist durch unsere Erfahrungen unterdeterminiert, d.h. nicht völlig festgelegt. Es läßt Spielraum für Interpretationen, und wenn jemand seine Drogenerlebnisse für wirklich hält, interpretiert er sie nicht schlechter als ein Rationalist, der auf dem „Boden der Tatsachen" zu bleiben meint. Jemand kann also, wenn er will, Hexe werden, wie er vielleicht einmal Marxist geworden ist.[55]
Nun wird man Marxist nicht durch das Einreiben mit irgendwelchen Salben, und Hexen pflegen nicht dialektisch zu argumentieren. Hier werden ganz verschiedene Ebenen durcheinandergebracht, und postmoderner Pluralismus soll dazu dienen, ein solches Durcheinander auch noch zu legitimieren. Er ist dann nicht mehr der Versuch, das Moderne weiterzudenken, sondern es zu verabschieden, legt sich als *Entmodernisierung* aus (was weder Lyotard noch Welsch noch andere „Postmoderne" gemeint haben), kommt aber damit einer modischen Strömung entgegen, die zurück ins Vor-Rationale, ins Mythische, Magische oder auch nur ins

[53] P. Feyerabend, Erkenntnis für freie Menschen, Frankfurt 1980, 19.
[54] H.-P. Duerr, Können Hexen fliegen? – In: Wer hat Angst vor der Philosophie? UTB Schöningh, München/Wien/Zürich 1982, 265ff.
[55] Ebd. 275.

Mittelalterliche strebt. Bezeichnende Beispiele liefern die Roman-Bestseller *Umberto Ecos:* Schon sein „Name der Rose" (1980) hatte in einem raffinierten Puzzle aus Denkformen, Sprachspielen und scholastischer Rhetorik das angeblich „finstere" Mittelalter zu einem postmodernen Spiegel der Moderne gemacht, und in „Das Foucaultsche Pendel" (1988) geht diese Tendenz weiter, nur daß da die gesamte Weltgeschichte mit Esoterik, Alchemie und Satanismus zu einem witzig-wahnwitzigen Komplott zusammengemixt wird. Der Ort, wo das Foucaultsche Pendel verankert ist, „war der einzige Fixpunkt im Universum" (S. 11), jedoch: „Jeder Punkt im Universum ist ein fester Punkt, man braucht nur das Pendel dranzuhängen" (S. 279). Das Geheimnis des Fixpunktes löst sich auf in die Erkenntnis, daß da gar kein Geheimnis ist: „Man begreift alles, wenn es nichts mehr zu begreifen gibt" (S. 752). Diese postmoderne Einsicht entspricht der Aufhebung aller Absolutheitsansprüche, aller großen „Meta-Erzählungen" (im Roman: Welteroberungspläne), die sich zuletzt als taube Nüsse erweisen.
Die Postmoderne ist offenbar zutiefst doppeldeutig. Einerseits kann sie mit Elan einen radikalen Pluralismus vertreten (*Lyotard* u. a.); andererseits kann sie sich gegen die bedrohlich gewordene Moderne richten, indem sie neue Entwürfe holistischen Denkens hervorbringt (*Capra* u. a.); von solchen Entwürfen wird im zweiten Teil dieses Buches die Rede sein. Die Frage ist nur, ob überhaupt eine echte Alternative vorliegt, eine Disjunktion vom Typ „entweder – oder". Es ist nicht gesagt, daß man der Beliebigkeit, nach deren Motto angeblich alles geht, nur durch neue totalitäre Ideologien Herr werden kann. Gewiß geht nicht alles. Ein Physiker, der beim Experimentieren auf einen Effekt stößt, der durch keine Hypothese voraussehbar war, wird nicht an den Eingriff okkulter Kräfte glauben, sondern bei seiner Physik bleiben; eine Hausfrau, deren Elektroherd versagt, wird sich nicht vor die Kochplatte setzen, um sie mit Beschwörungsritualen zum Funktionieren zu bringen, sondern sie wird den Elektriker holen. Wir können nicht schizophren werden und einerseits in einer „modernen", technisch organisierten Welt weiterleben, andererseits plötzlich zum magischen Denken, zur Esoterik, zu uralten Mythen von Gaia und

Mondgöttin zurückkehren, so schick diese Rückkehr immer sein mag. Die Ausrufung eines „neuen Denkens", etwa einer „Erkenntnis durch Einfühlung" (*J. Rifkin*[56]), bleibt obsolet, genauso wie das „anything goes".

Jede Schachpartie, überhaupt jedes Spiel (auch jedes Sprachspiel) beginnt mit einer axiomatischen Ausgangsposition, mit einem festen Stand der Figuren. Entsprechend ist jede Epoche des historischen Geschehens durch Startvoraussetzungen definiert, die ihr geschichtlich zugewachsen sind und die sie nicht willkürlich wählen kann. Für die Neuzeit (sogar für ihre „Moderne") sind diese Voraussetzungen die der wissenschaftlichen Vernunft, und da läßt sich das Rad der Geschichte weder gewaltsam zurück- noch vorandrehen. Was immer sich an Methoden im einzelnen ändern mag – einen „Methodenzwang" gibt es nicht!: Es muß sich als berechtigt vor der wissenschaftlichen Vernunft, die unwiderruflich *unsere* Vernunft geworden ist, ausweisen. Sonst müßten wir uns selbst aufgeben. Nicht alles geht, aber alles muß sich prüfen, d.h. in Frage stellen lassen.

Der soeben erwähnte *Jeremy Rifkin* hat in „Declaration of a Heretic" – „Pamphlet eines Ketzers", Boston 1985 (dt. unter dem Titel „Kritik der reinen Unvernunft") darauf hingewiesen, daß wohl nicht zufällig die abendländische Chemie das Chloroform erfunden habe, die Chinesen aber die Akupunktur. Beides wird als Narkosemittel verwendet, nur kann man sich kaum vorstellen, wie die Entwicklung umgekehrt hätte laufen können: Akupunktur im Abendland, Chemie in China. Da stehen sich zwei Kulturen mit völlig verschiedenen historischen Voraussetzungen und Mentalitäten gegenüber, und sie lassen sich nicht aufeinander abbilden. Schon ein Vergleich der jeweiligen Sprachstrukturen zeigt, daß ein indoeuropäischer Satz und ein chinesischer völlig inkommensurabel sind. Da hilft keine Lektüre von Übersetzungen: Das chinesische Denken ist für den Abendländer in abgründiger Weise unzugänglich, genauso wie die Semantik chinesischer Malerei.

[56] J. Rifkin, Kritik der reinen Unvernunft, Reinbek bei Hamburg 1987.

In diesem Zusammenhang gewinnt der von *Lyotard* aufgezeigte Widerstreit sprachlicher Strukturen besonderes Gewicht und macht einen linguistischen Pluralismus genauso unausweichlich wie den darauf sich gründenden Pluralismus von Rationalitätsformen. Denken und Denken ist nicht überall und immer dasselbe, ebensowenig wie Vernunft und Vernunft. *Welsch* hat in dieser Situation gleichsam die Notbremse gezogen und einen neuen Vernunftbegriff eingeführt: die „transversale Vernunft", die zwischen heteronomen Denk- und Rationalitätsformen Übergänge und Verbindungen schaffen soll. Er meint das zwar nicht im Sinne einer Art „Übervernunft", sondern eher als dynamische Vermittlung zwischen den Systemen, aber sein Konzept bleibt im Grunde so formal wie auch das Gerechtigkeitskonzept bei Lyotard. „Vernunft ist ein metarationales Vermögen, aber sie ist dies wesentlich als interrationales. Ihr Dominium sind Übergänge", heißt es bei Welsch.[57] Wie Vernunft das leisten kann, Übergänge zwischen Denkweisen tatsächlich zu ermöglichen, welches anthropologische Fundament sie dabei hat, bleibt dunkel; „rätselhaft", wie Welsch selbst zugibt.[58] Aber gerade hier muß das Fragen einsetzen. Der Begriff der Vernunft ist so vielschichtig geworden, daß er wenig gewinnt, wenn man eine weitere Schicht hinzufügt. Was Vernunft ist und sein kann, läßt sich nicht abstrakt bestimmen, durch irgendeine Definition – auch nicht durch ihre Abgrenzung vom Verstand (Verstand als Rationalität eines einzelnen Gebietes, Vernunft als Vermögen der Übergänge von Gebiet zu Gebiet; so W. Welsch[59]). Je unbestimmter die Vernunft wird, desto mehr Raum gibt sie dem Irrationalen, das nur auf seine Stunde wartet. Am Ende dreht es den Spieß um: erhebt Anspruch auf wahre Vernünftigkeit und weist der Wissenschaft ihre Unvernunft nach. – Mephistopheles in der Rolle des Faust!

[57] W. Welsch, Unsere postmoderne Moderne, 305.
[58] Ebd. 307.
[59] Ebd. 295.

II. Ist die Vernunft noch zu retten?

1. Vernunft im Alltäglichen

Bei allem Fragwürdigen, das der Vernunft heute anzuhaften scheint, ist ihr Ruf im alltäglichen Gebrauch unangetastet geblieben. Ohne philosophische Skrupel reklamiert sie für sich, wer sein Denken und Handeln zu rechtfertigen sucht; sie verbürgt nach wie vor, daß es so etwas wie eine Normalität des Nachdenkens, des überlegten Vorgehens geben kann, und jeder erwartet von seiner Mitwelt wenigstens ein gewisses Mindestmaß vernünftigen Verhaltens.

Hinweise dafür liefert der übliche Sprachgebrauch. „Es war ganz vernünftig, daß du den Zug genommen hast, statt bei den verstopften Autobahnen mit dem eigenen Wagen zu kommen." – „Walter ist ein vernünftiger Mensch; man kann mit ihm reden." – „Mit ein bißchen Vernunft müßte sich dieser Familienzwist doch beilegen lassen." – So oder ähnlich wird die Vernunft in Anspruch genommen, ohne daß Zweifel auftreten, ob sie überhaupt zur Verfügung steht.

Daran ist nichts auszusetzen. Und doch zeigen schon solch einfache Beispiele, daß sogar die Umgangssprache von Vernunft nicht immer in gleichem Sinne redet. Da ist zunächst die in einer *Mittel-Zweck-Relation* steckende Vernunft. Man will etwas erreichen und sucht nach dem besten Weg zum Ziel. Es ist vernünftig, einen Hammer zu nehmen, wenn man einen Nagel in die Wand schlagen möchte; dasselbe mit einem Stück Weichkäse zu versuchen, wäre gewiß unvernünftig. Zwar ist die Vernunft nicht selbst das Instrument, das man einsetzen muß, aber ihre Beziehung zum Auswahlprozeß, der das richtige Mittel sucht, rückt sie in unmittelbare Nähe zum Werkzeughaften schlechthin. Unter diesem Gesichtspunkt hat *Horkheimer* von „instrumenteller Vernunft" gesprochen.

Vernunft kann aber auch in einem attributiven Sinne jemandem zugeschrieben werden, den man als „vernünftig" ansieht. Fast erscheint sie dann wie eine Eigenschaft, und zwischen den Sätzen: „Walter ist vernünftig" – „Walter ist blond" ist in struktureller Hinsicht kaum ein Unterschied auszumachen. Doch der Schein trügt. Blond zu sein ist tatsächlich ein adjektivisches Prädikat; jeder kann jederzeit sehen, ob Walter blond ist oder nicht. Mit der Vernünftigkeit verhält es sich schon anders. Ist Walter vernünftig, während er schläft? Vielleicht kann er sogar einmal etwas Unvernünftiges tun, ohne daß es seinem Ruf, ein vernünftiger Mensch zu sein, schadet. Vernünftig zu sein, ist keine Eigenschaft, die dauerhaft an jemandem haftet, sondern eine *Disposition,* die sich in signifikanten Situationen manifestiert (G. Ryle)[1]. Eigenschaftsprädikationen und Dispositionsangaben sind in logischer Hinsicht keineswegs dasselbe, und wenn in der philosophischen Tradition der Mensch als „animal rationale" bezeichnet wurde, so hat man oft genug den Dispositionscharakter des Rationalen übersehen und mit einer simplen Eigenschaft verwechselt.

Schließlich scheint es, als sei die Vernunft etwas Selbständiges, das man wie ein „Ding an sich" behandeln kann. Mit Vernunft etwas tun: das klingt, als sei die Vernunft ein Gegenstand, der sich benutzen oder weglegen läßt, je nachdem, ob man ihn brauchen will oder nicht. Und trotzdem kann man wohl schwerlich sagen: „Er nahm seine Vernunft und einen Hammer, um den Nagel in die Wand zu schlagen." Es ist zwar dasselbe gemeint, aber in der Formulierung besteht ein wesentlicher Unterschied, ob man etwas *mit Vernunft* oder *vernünftig* tut. Im zweiten Fall wird ein *Modus des Verhaltens* ausgedrückt, aber gar zu leicht schiebt sich das *substantielle* Verständnis der Vernunft vor das *modale,* und dann kommt es zu Aussagen wie: „Meine Vernunft sagt mir, Flugzeugunfälle seien extrem selten, aber meine Flugangst hindert mich, das Flugzeug zu nehmen." Da ist die Vernunft nicht nur ein vages Etwas, das irgendwo steckt, sondern sie *spricht* sogar, und diese Redeform suggeriert die an sich seiende Ratio, den Logos oder das Verbum, das bis in die Höhe metaphysischer Entitäten hinaufstilisiert werden kann (vgl. Joh 1,1).

[1] G. Ryle, Der Begriff des Geistes, Stuttgart 1969.

Im Rahmen alltäglicher Situationen wird so etwas kaum geschehen. Da macht sich eher bemerkbar, daß es durchaus unterschiedliche Vorstellungen von dem geben kann, was „vernünftig" ist. So behauptet zum Beispiel Herr Anton, es sei sehr vernünftig, zum Frühstück etwas Kräftiges zu essen. Aber seine Frau Berta ist anderer Meinung und beschränkt sich lieber auf ein Yoghurt, um den Magen nicht zu überlasten. Und schon ist der Streit um das Frühstücksei da! Es ist vernünftig, sich bei Kälte warm anzuziehen. – Es ist vernünftig, sich abzuhärten. Kontroversen solcher Art, ob es nun um Ernährung oder Kleidung oder um was auch immer geht, können Gemüter erregen, weil jeder sich im Vollbesitz seiner Vernunft und damit auch im Kern gültiger Wahrheit sieht. Vielleicht gelingt es ihm sogar, seinen Standpunkt zu begründen, und dann macht sich bemerkbar, daß Vernunft etwas mit *zwingender Argumentation* zu tun hat. Aber die Sache wird dadurch nur schlimmer. Denn die Aufzählung von Gründen gelangt bald an einen Punkt, wo es ums Prinzip geht: etwa um Grund-Sätze vernünftiger Lebensführung überhaupt. Der Streit um das Frühstücksei verlagert sich auf eine „höhere Ebene", auf der die Argumente sehr schnell ausgehen und nur noch Standpunkt gegen Standpunkt steht.
Die Problematik sogenannter „Letztbegründungen"[2] soll hier nicht verfolgt werden. Nichts ist *an sich* vernünftig, sondern immer kommt es darauf an, welcher Bezugsrahmen das jeweils Vernünftige legitimiert. Und wenn man nicht ins Uferlose geraten will, muß die Vernünftigkeit eines letzten Bezuges einfach postuliert werden. Sollte demnach gelten, daß sich über Vernunft genausowenig streiten läßt wie über den Geschmack?
Aber schließlich muß sich doch am *Erfolg* ablesen lassen, ob etwas vernünftig war oder nicht! Beim Beispiel des Hammers, mit dem ein Nagel in die Wand geschlagen werden soll, ist das vielleicht richtig. Immerhin läßt sich sogar für diese Situation einwenden, ein Hammer müsse nicht unbedingt die ultima ratio sein. Wer versucht hat, Nägel in eine Betonwand zu hämmern, wird nach viel vergeblicher Mühe froh sein, wenn man ihm einen Schußapparat

[2] H. Albert, Traktat über kritische Vernunft, Tübingen 1969.

reicht, der den Hammer erübrigt. Auch im Alltäglichsten ist es nicht möglich, das allein richtige (vernünftigste) Mittel zum Erreichen eines Zieles anzugeben. Außerdem aber ist der direkte Erfolg nicht unbedingt auch ein echter Erfolg. Wenn man morgens seine Brötchen schnell vom Bäcker an der Ecke holen will und dazu das Auto benutzt, ist man vielleicht früher da als zu Fuß oder per Fahrrad, aber dieser „Kurzzeiterfolg" dürfte zumindest das berechtigte Mißfallen der Nachbarn wecken, die ob solch umweltfeindlichen Verhaltens die Köpfe schütteln. Nicht der Erfolg heiligt die Mittel, und die Vernunft an Erfolgen messen zu wollen, ist mehr als fragwürdig.

Weiß man immer, ob etwas vernünftig ist? Man müßte alle Zusammenhänge kennen, in denen ein bestimmtes Handeln steht, um das beurteilen zu können. Um noch einmal auf das Hammer-Beispiel zurückzukommen: Wenn es darum geht, einen Nagel in eine Holzwand (und nicht in Beton) zu schlagen, ist nach dem bisherigen Stand der Technik ein Hammer wohl tatsächlich das vernünftigste (weil probateste) Mittel, aber dieses Urteil stützt sich auf eine überschaubare Anzahl von Implikationen, und solche Überschaubarkeit ist nicht immer gewährleistet. Vielleicht ist sie sogar die Ausnahme. Vor noch gar nicht langer Zeit erschien den Städteplanern die „autogerechte Stadt" als Traumziel ihrer Entwürfe; inzwischen hat sich das Blatt gewendet, und man sucht verzweifelt nach Wegen, die Autolawinen von den Stadtkernen fernzuhalten. Was „vernünftig" ist, hat sich als relativ erwiesen: Der Glaube an eine allein seligmachende Auto-Vernunft mußte dem neuen Glauben an die Wünschbarkeit der wohnlichen Stadt mit ihren Fußgängerzonen und Zierkübeln auf den Straßen weichen, und das nicht etwa, weil Autos unvernünftige Fahrzeuge sind, sondern weil der Autoverkehr alle Erwartungen übertroffen hat. Die Grenzen dessen, was jeweils vorstellbar ist, sind meist sehr eng gezogen, und diese Enge schnürt auch die Perspektiven des Vernünftigen ein.

Zugegeben, daß man nicht alles wissen kann, aber zumindest müßte es doch möglich sein, sich vor einem bestimmten Problem auf das zu einigen, was als Lösung zumutbar ist. Vernunft wird dann nicht als Absolutum behandelt, sondern als Medium des *rationalen*

Diskurses (Habermas, Oelmüller u.a.[3]); das Vernünftige ist das Konsensfähige, und der Weg dorthin ist das argumentierende, d.h. Gründe und Gegengründe abwägende Gespräch.

Diese pragmatische Auffassung von im Alltäglichen möglicher Vernunft hat vieles für sich. Sie sieht die Hervorbringung von Vernünftigem als *gesellschaftliche Praxis,* wenigstens als deren Ziel, und ist darin der Aufklärung verwandt. Aber sie setzt zweierlei voraus, daß nämlich erstens die Teilnehmer des rationalen Diskurses vernünftig sein *wollen,* und daß zweitens die Vernünftigkeit der Vernunft unangetastet bleibt, gewissermaßen als Apriori argumentativer Auseinandersetzung. Beide Voraussetzungen sind in sich problematisch.

Der Fall, daß jemand im Gespräch eigensinnig auf seinem Standpunkt beharrt und keiner Argumentation mehr zugänglich ist, soll hier einmal ausgeklammert werden. Es wäre ein *pathologischer* Fall, der zwar immer wieder auftaucht, vom Stammtischgespräch bis zur politischen Diskussion, in dem aber das Ziel, Probleme lösen zu wollen, gar nicht mehr im Blick steht. Weitaus gravierender ist die Situation, in der das argumentierende Verfahren selbst auseinanderbricht, weil in ihm verschiedene Normvorstellungen von dem, was Argumentation heißt, wirksam werden.[4] Beispielhaft hierfür wäre eine Diskussion, die vor einiger Zeit im Fernsehen über Rushdies „Satanische Verse" geführt wurde, und zwar zwischen mehreren europäischen Gesprächsteilnehmern und einem Diplomaten des Iran. Die „Europäer" wandten sich empört gegen das von Khomeini verhängte Todesurteil: Für sie stand fest, daß es sich weder juristisch noch moralisch rechtfertigen lasse, denn niemals dürfe ein Autor wegen seiner Bücher mit dem Tode bestraft werden, und außerdem widerspräche es internationalem Recht, jemanden über die Landesgrenzen (hier: des Iran) hinweg zu verfolgen. Vorausgesetzt wurde also, die Diskussion müsse sich an europäischen Argumentationsweisen orientieren, an ihren Begrün-

[3] J. Habermas, Theorie des kommunikativen Handelns, 2 Bde., Frankfurt 1981; W. Oelmüller/R. Dölle, Diskurs Sittliche Lebensformen, München/Wien/Zürich 1980.

[4] Vgl. J.-F. Lyotard; Der Widerstreit, aaO.

dungsformen sittlicher und juristischer Standpunkte. Der iranische Diplomat ging aber von völlig anderen Positionen aus, von einer islamischen Fundamentaltheologie, die für ihn gleichzeitig Fundamentalethik und Rechtsnorm war, so daß seine Denkweise mit Kategorien umging, die wiederum den Europäern unverständlich blieben. Er setzte zwar nicht die Vernunft außer Kraft, aber verstand sie in einem „orientalischen“ Rahmen, so daß die Diskussion schließlich im Aneinander-Vorbeireden scheiterte.

Man muß nicht bis zur Konfrontation mit islamischen Denkformen gehen, um den Kollaps eines Gespräches zu erleben. Schon in alltäglichen Auseinandersetzungen taucht es auf, dieses: „Das ist kein Argument für mich“, mit dem der rationale Diskurs aufhört. Was aber ein Argument ist, läßt sich nicht rein formal definieren, es sei denn, man faßt das Ringen um ein konsensfähiges, vernünftiges Resultat als scholastische Rhetorikübung auf. Es gibt auch das. Bei Donald-Duck-Fans (den „Donaldisten“) wird z.B. eifrig über die Lebensverhältnisse in Entenhausen diskutiert, mit geradezu akademischer Eloquenz, aber niemand wird auf die Idee kommen, solche Nonsens-Debatten als „vernünftige“ Gespräche anzusehen. Sie haben ihren Reiz gerade darin, daß sie den Schein der Vernunft bei totaler Unvernunft aufrecht erhalten. Ein raffiniert aufgezogenes Argumentationsspiel mit formalen Regeln für Gewinnstrategien ist noch lange kein vernünftiges Gespräch.

In Lessings „Minna von Barnhelm“ entwickelt der Major v. Tellheim seiner Braut ein wohlkomponiertes System von Gründen, warum er sie nicht heiraten könne. Er mußte den Dienst quittieren, er ist in seiner Ehre gekränkt, verarmt, zum Krüppel geschossen: Kurzum, seine Vernunft befiehlt ihm, die Verlobung zu lösen. Und was antwortet Minna? „Ich bin eine große Liebhaberin von Vernunft, ich habe sehr viel Ehrerbietung für die Notwendigkeit. – Aber lassen Sie doch hören, *wie vernünftig diese Vernunft*, wie notwendig diese Notwendigkeit ist.“ Da hat Lessing das Problem der Vernunft auf den Punkt gebracht. Das argumentierende Suchen nach Begründung für eine Position im Diskurs kann Vernünftiges nur hervorbringen, wenn es die Vernunft bereits voraussetzt. Aber eben diese Voraussetzung müßte ihrerseits vernünftig begründet werden, und solch eine Forderung führt in einen logischen Zirkel, der die Ansprüche der Vernunft auch im Alltäglichen immer wieder zu Fall bringt.

Im allgemeinen bleibt die Vernunft im Alltagsgebrauch auf die Sphäre der eigenen Meinungen beschränkt. Selbst wo andere diese Meinungen teilen und sich ein Gruppenkonsens über Vernünftiges gebildet hat, bleibt der Maßstab dieses Konsenses die persönliche Überzeugung, vernünftig gedacht und gehandelt zu haben. Diese *Privatisierung der Vernunft* ist ein Erbteil der europäischen Aufklärung, die den Begriff des *mündigen Bürgers* hervorgebracht hatte und auch im Zeitalter einer angeblichen Postmoderne noch nachwirkt. Auch wenn Vernunft als allgemeinmenschliche Fähigkeit (bzw. Disposition) angesehen wird, bleibt doch die Basis dieser Ansicht immer noch das im Einzelnen wirkende Selbstbewußtsein, sich als „vernünftig" verstehen zu dürfen. Kurz gesagt: Das vorgeblich Allgemeine der Vernunft reduziert sich darauf, daß im allgemeinen jeder von sich selbst behauptet, vernünftig zu sein.

Die Privatisierung der Vernunft hält nun aber stets auch ein Hintertürchen offen, durch das das *Irrationale* hineinschlüpfen kann. Vernunft wird so lange gutgeheißen, wie das Alltägliche voll und ganz das Alltägliche bleibt. Wo aber die Normalität durchbrochen wird, wo die Alltagsvernunft nicht ausreicht, um sich zwischen den Phänomenen zu orientieren, kommt das sogenannte Übernatürliche ins Spiel, das Esoterische im weitesten Sinne, und legitimiert sich mit der Behauptung, es gäbe mehr Dinge zwischen Himmel und Erde, als unsere Schulweisheit sich träumen läßt. Ob nun Parapsychologie oder Geisterbeschwörung: Wird Vernunft als je Eigenes, als privates Vermögen gesehen, so scheint es auch jederzeit möglich, sich über dieses Vermögen hinwegzusetzen, es in selbstgewählte Schranken zu weisen oder ganz zu ignorieren. Die in den Einzelnen verlegte Vernunft liefert sich der Verfügbarkeit aus, so daß sie nicht mehr unbedingt ernst genommen werden muß. Sie bekommt etwas Ambivalentes, Vorläufiges, und wie man sagt, daß Geld allein nicht glücklich mache, heißt es dann sinngemäß, auch die Vernunft sei nicht alles. Erst die Umdeutung der Vernunft zum menschlichen Vermögen, wie sie in der beginnenden Neuzeit sich durchsetzte, und die Eingrenzung dieses Vermögens auf das Private hat die Voraussetzung für alles geschaffen, was man heute pauschal „das Irrationale“ nennt. Wird aber das Irrationale alltäglich, so kann die Vernunft abdanken und selbst ein Esoterikon werden. Nicht daß die Reduktion der Vernunft auf das, was man selbst für „vernünftig“ hält, schon Ursache für das Aufkommen des Irrationalen wäre. Sie ist nur Voraussetzung: zwar eine notwendige, aber keine hinreichende Bedingung. Irrationales kann erst ins Wuchern geraten, wenn ein Bedürfnis dazu besteht. Das aber ist in heutiger Zeit offenbar allenthalben am Werke; die bloße Rationalität des Technisch-Wissenschaftlichen weckt Sehnsüchte nach Sinnfülle und Erlebnistiefe, die das Irrationale geradezu herausfordern. Und prompt stellt es sich ein: beim Weltraumfan, der die Rettung der Erde von weisen Ufo-Leuten erwartet, bis hin zum Politiker, der sich vor einer Entscheidung zum Sterndeuter schleicht. Mit Vernunft ist dagegen kaum etwas auszurichten. Vom Esoteriker aus gesehen, erscheint sie als eine Form der Ignoranz.

2. *Die maschinelle Vernunft*

Ein Widerspruch scheint sich aufzutun. Während die Vernunft von einer Kritik zur nächsten gehetzt wird, feiert sie an anderen Orten ihre größten Triumphe, dort nämlich, wo sie mit Computern und intelligenten Systemen logisch-technische Höchstleistungen vollbringt. Man mag an der Art, wie sich das Rationale der Apparate bemächtigt hat, auf mehr oder weniger geistreiche Weise herummäkeln: Die Durchdringung unserer Welt mit „intelligenten Maschinen“ ist zu einem Phänomen geworden, das sich nicht mehr wegdisputieren läßt. Dahinter steht offenbar die prägende Kraft des kartesianischen Denkens, das mit dem Projekt einer „mathesis universalis“ die Richtung gewiesen hatte (vgl. Kap. I, 1).
Kein Zweifel, daß Computer nützliche Geräte sind. Aber es wäre zuwenig, wollte man sie nur an dem messen, was sie im praktischen Einsatz erwirtschaften. Wenn sie als bedrohlich empfunden werden, so nicht nur, weil sie Arbeitsplätze wegrationalisieren und

Menschen überflüssig machen können, sondern – tiefer noch – weil sie dem Menschen sein Privileg zu rauben scheinen, als einziger ein „vernunftbegabtes Wesen“ zu sein. Wenn Computer mehr können als unser armes Gehirn, wenn sie uns immer wieder überlisten und uns unsere Denkfehler nachweisen (eine Erfahrung, die jeder macht, der mit ihnen zu tun hat): Sind sie dann rationaler als wir?

Bei sogenannten *Expertensystemen* muß man wohl zugeben, daß sie wenigstens prinzipiell einen Wissensstand speichern und verwalten können, der die Kenntnisse auch eines Fachmannes übersteigt. Wer z.B. als Gentechniker auf die in einem entsprechenden Programm enthaltenen Daten der Molekularbiologie zurückgreifen kann, sich von seinem Computer Modelle möglicher DNS- oder Eiweißstrukturen entwerfen läßt, wird froh sein, daß er solche Arbeiten nicht selbst auszuführen braucht; in vielen Fällen wäre er einfach überfordert, sollte er das leisten müssen, was ihm sein „intelligenter“ Computer vormacht. Aber ist Computerintelligenz ein Analogon zu menschlicher Vernunft oder auch nur mit ihr zu vergleichen?

Schon in den fünfziger Jahren wurde diese Frage intensiv diskutiert; damals hatte *A. M. Turing* seinen berühmten Test (ein Gedankenexperiment) vorgeschlagen, der darauf hinausläuft, daß jemand vor eine Wand gestellt wird, hinter der sich ein Mensch und ein Computer befinden; die Testperson soll an beide Fragen richten und dann aus den OUTPUT-Angaben ermitteln, welche Antworten von dem menschlichen und welche von dem maschinellen Partner kommen. Allgemein wurde erwartet, daß es unmöglich sein werde, diese Entscheidung zu treffen, wenn nur der Computer genügend raffiniert programmiert wäre. *J. Weizenbaum* hat sich durch den Turing-Test zu seinem Programm ELIZA inspirieren lassen (1965), bei dem man mit dem Computer ein Gespräch über psychische Probleme führen und das Gefühl haben konnte, von einem echten Psychotherapeuten betreut zu werden. Als allerdings ELIZA von etlichen Benutzern ernst genommen und zur tatsächlichen Anwendung in der psychiatrischen Praxis vorgeschlagen wurde, wandelte sich Weizenbaums Einstellung grundlegend. Er wurde vom Computer-Paulus zum Computer-Saulus und sah auf einmal in der ganzen Entwicklung der Computer-Science einen schrecklichen Irrweg.[5] Schließlich meinte er, nur die Eigenschaften, Verhaltensweisen und Wertvorstellungen (z.B. Intuition und Kreativität), die sich nicht programmieren lassen, seien Kennzeichen echter Menschenwürde; alles das, was sich an menschlicher Denkfähigkeit auf einen Computer übertragen läßt, sei eben nicht im eigentlichen Sinne „menschlich".

Aber das Problem liegt nicht darin, den Computern ihre Mängel (z.B. fehlende Kreativität) vorzurechnen, sondern in Ungenauigkeiten bei der Definition solcher Mängel. Wenn heute von „Künstlicher Intelligenz" (KI) bei Computern geredet wird, so bedeutet dabei der Intelligenzbegriff etwas anderes als beim sogenannten Intelligenzquotienten. Ein Computer, der schwierigste Denkaufgaben lösen kann, wäre vielleicht nicht in der Lage, den simpelsten Intelligenztest zu bestehen. Intelligenz kann man sehr verschieden interpretieren, und deshalb ist es wenig hilfreich, sie den Computern zu- oder abzusprechen.

Ähnliches zeigt sich auch bei der Kritik, die *John R. Searle* an der Sprachkompetenz von Computern geübt hat. In seiner Argumentation geht es um eine Übersetzung aus dem Chinesischen ins Englische. Searle gibt zu, daß man einen Computer mit dem Vokabular und den Grammatikregeln beider Sprachen so versorgen kann, daß er eventuell einen chinesischen Text ins Englische korrekt überträgt. Aber Searle meint, im entscheidenden Punkt bestehe ein Unterschied zwischen der Tätigkeit der Übersetzungsmaschine und der eines menschlichen Übersetzers: Der Computer könne nämlich nicht „verstehen", was er übersetzt, weil er nur schematisch nach vorgegebenen Regeln verfährt und nicht die „Bedeutung" der verwendeten Texte kennt.[6]

Dieses Argument wirkt aber nur überzeugend, solange man nicht weiterfragt, was denn *für einen Menschen* so etwas wie „Bedeutungs-

[5] J. Weizenbaum, Die Macht der Computer und die Ohnmacht der Vernunft, Frankfurt 1978 (amerikan. Ausgabe 1976).

[6] J. R. Searle, Geist, Gehirn, Programm. In: D. R. Hofstadter/D. C. Dennett, Einsicht ins Ich, Stuttgart 1987 (amerikanische Ausgabe 1981).

verstehen“ möglich macht. Wenn wir sprachliche Äußerungen zu verstehen meinen, so geschieht das auf dem Hintergrund eines umfangreichen Vorwissens über die Welt, in der wir leben, über unsere Sprache und uns selbst. Aber dieses Vorwissen ist nicht vom Himmel gefallen, sondern mußte (oft mühsam) angeeignet werden. Um das an einem Beispiel zu erläutern: Der Ein-Wort-Satz „Feuer“ kann sehr Verschiedenes bedeuten, je nachdem, ob jemand ihn bei einer Brandkatastrophe ruft, ob er als Kommando bei einer Artillerieübung gebraucht wird oder ob jemand eine Zigarette anzünden will und sich fragend an seinen Nachbarn wendet. Immer muß schon die Situation im ganzen irgendwie erfaßt sein, ehe die Bedeutung des Wortes „Feuer“ sich konkretisiert. Und zum Erfassen einer Situation sind Erfahrungsregeln nötig, die wir aus alltäglichen Lernprozessen gewinnen. Nichts spricht dagegen, daß solches Lernen sich in entsprechende Lernprogramme bringen läßt, die auch in den Bereich „Künstlicher Intelligenz“ übertragbar sind.

Das Problem liegt nicht im Bedeutungsverstehen, sondern in der *Unterscheidung zwischen kontextfreien und kontextsensiblen Sprachen.* Wenn die Aufgabe gestellt wird: „Addiere 2 und 5 und multipliziere das Ergebnis mit 3“, so ist zur Lösung nichts weiter erforderlich als die Kenntnis der entsprechenden Rechenregeln; der Lösungsweg ist dann ein *Algorithmus*, der die Folge der einzelnen Rechenschritte eindeutig festlegt. Man muß nicht wissen, ob es da um ein Rechnen mit Äpfeln oder Birnen oder mit Hundeschwänzen geht. Kontextfreie Berechnungen dieser Art setzen nur einen passenden Formalismus voraus, und ihn liefert die „Sprache der Mathematik“.

Kontextsensible Sprachen sind viel schwieriger zu durchschauen, weil ihre Ausdrücke von Beziehungen zu einem nicht jeweils thematischen Vorwissen abhängen, und das gilt in besonderer Weise von den Sätzen sog. „normaler Sprachen“, also z.B. unserer täglichen Umgangssprache. Der amerikanische KI-Forscher *Roger C. Schank* hat sich dieses Problems angenommen und festgestellt, daß es bei der Entwicklung intelligenter Computerprogramme darauf ankommt, zunächst einmal all die Mechanismen zu analysieren, die unserem menschlichen Sprachverstehen zugrunde liegen; insofern sind nicht die Computer das eigentliche Thema der KI-Forschung, sondern der Mensch. Schank schreibt: „Beim Versuch, unsere Denkprozesse auf Computern nachzubilden, erfahren wir ständig mehr darüber, was es bedeutet, Mensch zu sein. Alles andere als enthumanisierend, hat die KI-Forschung uns dazu gezwungen, unsere menschlichen Qualitäten und Fähigkeiten anzuerkennen."[7]

Demnach ist dieser Zweig der Computer-Science „ein immanent *menschliches* Fach". Und das gilt nicht nur für die Frage, was Computer hinsichtlich des Verstehens von Sprache leisten können, sondern betrifft ihre Fähigkeiten allgemein, also auch dort, wo sie kontextfrei arbeiten. Hieraus ergeben sich zwei Problemkreise. Im ersten geht es um algorithmische Kalküle, letztlich um Fragen der mathematischen Logik; im zweiten um die Einbettung der Vernunft in die gesamte physisch-psychische Verfassung menschlichen In-der-Welt-Seins.

a) Mathematik, die sich selbst bedroht. Daß Mathematik mit Formeln arbeitet, hat schon viele Schüler zur Verzweiflung getrieben, liegt aber in der Natur der Sache. Die mathematische Sprache läßt sich mit einem Spiel vergleichen, in dem es gewisse Spielmarken und Regeln für ihren Gebrauch gibt; das können Zahlen, Buchstaben und sonstige Symbole sein, und dazu kommen Definitionen, Grundsätze (Axiome) und Regeln. Mit Hilfe dieses Materials lassen sich die verschiedensten „Spiele" spielen, z.B. das Spiel „Arithmetik", das Spiel „Algebra" oder das Spiel „Geometrie". Diese Spiele haben nichts mit der Wirklichkeit zu tun; sie sind rein formale Kalküle, vergleichbar mit dem Schachspiel, in dem es ebenfalls Spielmarken (die Figuren), Regeln und eine Grundstellung (Axiom) gibt. Niemand wird auf die Idee kommen zu behaupten, die „Dame" beim Schach sei eine wirkliche Dame und müsse sich entsprechend benehmen; die Spielfigur hat nur einen formalen Sinn im Rahmen des Spiels und ist demnach „kontextfrei".

[7] R. C. Schank, Die Zukunft der künstlichen Intelligenz, Köln 1986 (amerikanische Ausgabe 1984).

Die mathematische Spielwiese wird nun von den verschiedensten *Kalkülen* bevölkert, so wie man auf dem Schachbrett, auf einem Mühle-Brett, auf dem Fußballplatz die verschiedensten Spiele spielen kann. Wird z.B. vom Mathematiker ein bestimmter Lehrsatz hergeleitet, so ist diese Herleitung nichts anderes als der Vollzug einer bestimmten Partie in dem verwendeten Kalkül, und wenn keine Fehler unterlaufen, so kann man von einer Betätigung mathematischer Vernunft sprechen: Diese formale Tätigkeit hat spätestens seit *Leibniz* das Paradigma für Vernunft überhaupt geliefert. Allerdings muß man ergänzen, daß die Mathematik auch *logische* Gesetze benötigt, aber das dürfte jedermann gern zugeben.

Das offenbar so fest gefügte Gebäude der mathematischen Vernunft erhielt seinen ersten Stoß, als im Jahre 1901 *Bertrand Russell* bei logischen Untersuchungen zur Mengenlehre auf eine Antinomie stieß. Die Mengenlehre ist ein Gebiet der Mathematik und wurde im vorigen Jahrhundert von *G. Cantor* begründet; man kann sie als ein sehr fundamentales mathematisches Spiel ansehen, in dem es darum geht, Individuen zusammenzufassen und mit den so gebildeten „Mengen" logische Operationen vorzunehmen. Die Stühle in einem Zimmer können eine Menge bilden, die Tische, die Schränke, aber auch die natürlichen Zahlen der Arithmetik, die Punkte auf einer Strecke usw. Es lassen sich übergeordnete Mengen definieren, z.B. die Menge aller Möbel im Zimmer, die Menge aller reellen Zahlen, wobei Stühle und Tische Teilmengen der Möbelmenge, die natürlichen Zahlen eine Teilmenge der reellen Zahlen sind. Russell fragte sich nun, was es wohl mit einer „Menge aller Mengen" auf sich habe, und entdeckte in diesem scheinbar ganz vernünftigen Begriff einen Widerspruch. Eine ordentliche Menge enthält sich nicht selbst als Element („die Menschheit" umfaßt zwar alle Menschen, aber nicht noch einmal „die Menschheit" selbst); wenn das so ist, enthält die „Menge aller Mengen" nicht sich selbst und kann demnach nicht ihrem eigenen Begriff genügen, d.h. die Menge *aller* Mengen sein.

Man kann die Russellsche Antinomie durch allerlei Beispiele erläutern. Eine große Bibliothek wird in Katalogen erfaßt, wobei natürlich ein Katalog nicht sich selber enthält. Aber wenn für die Bibliothek sehr viele Kataloge erforderlich sind, braucht man vielleicht auch einen „Katalog aller Kataloge". In diesem Begriff steckt der gleiche logische Widerspruch wie im Begriff der „Menge aller Mengen". Enthält der Katalog aller Kataloge sich selbst, so entspricht er nicht dem, was unter einem „Katalog" zu verstehen ist und gehört demnach auch nicht zur Menge aller Kataloge, die sich nicht selbst enthalten. Enthält er sich nicht selbst, dann mag er zwar ein ordentlicher Katalog sein, aber er ist bestimmt nicht der „Katalog *aller* Kataloge", weil er gerade mit sich selbst eine Ausnahme macht.

Die Russell-Antinomie hat viel Aufsehen erregt und Versuche herausgefordert, ihr zu begegnen. Offenbar ist der Widerspruch dadurch entstanden, daß im Begriff einer „Menge aller Mengen, die sich nicht selbst als Element enthalten", eine *reflexive Beziehung* steckt: Der Begriff der Menge wird auf sich selbst angewendet. Genau das müßte aber verboten werden! Mit Begriffen kann man in verschiedener Weise umgehen. Wenn ich sage: „Dort steht ein Haus", habe ich den Begriff des Hauses auf einen Gegenstand angewendet, der nicht in meinem Satz steckt, sondern sich irgendwo draußen in der Landschaft befindet. Ich habe mich „objektsprachlich" ausgedrückt. Sage ich dagegen: „Was ich jetzt behaupte, ist falsch", dann rede ich in einem Satz über diesen Satz, drücke mich also reflexiv bzw. „metasprachlich" aus. Objektsprachen und Metasprachen sind zwar beide möglich, dürfen aber nie miteinander verwechselt werden; sie gehören nach Russell verschiedenen logischen Typen an, und wird das nicht berücksichtigt, so entstehen Antinomien. Besonders bekannt ist die Antinomie des „*Kreters*"; sie lautet: „Ein Kreter sagt, alle Kreter sind Lügner." Ist dieser Satz wahr oder falsch? Nehme ich ihn zunächst einmal als wahr an, so muß der Kreter, der ihn äußert, ebenfalls ein Lügner sein, und damit ist auch sein Satz eine Lüge, d.h. falsch. Gehe ich aber davon aus, daß der Satz falsch (gelogen) ist, dann hat ja der Kreter die Wahrheit gesprochen und ist eben *kein* Lügner!

Wie man es dreht oder wendet, immer kommt ein Widerspruch heraus, und damit werden Sätze wie der vom lügenden Kreter *unentscheidbar*, d.h. man kann nicht definitiv sagen, ob sie wahr oder falsch sind. Ein Ausweg aus dem Dilemma scheint zunächst darin zu liegen, daß man einfach verbietet, unentscheidbare Sätze überhaupt zu formulieren, aber es wirkt ein wenig seltsam, wenn in der Logik Verbote ausgesprochen werden. Logik ist etwas anderes als Moral. Vielleicht gibt es eine Möglichkeit, ohne Verbote auszukommen und die Sache anders zu fassen. Doch zunächst soll ein Problem erwähnt werden, das die Mathematik in noch viel beunruhigenderer Weise betrifft als die Paradoxien Russells.

Ein korrekt aufgebauter mathematischer Kalkül sollte es doch wohl möglich machen, bei einem in diesem Kalkül formulierten Satz zu entscheiden, ob er stimmt oder nicht; genauer: ob er in diesem Kalkül herleitbar (beweisbar) oder widerlegbar ist. Der Lehrsatz des Pythagoras ist z. B. in dem Kalkül der euklidischen Geometrie beweisbar und wird im Schulunterricht bewiesen, auch wenn dieser Beweis den meisten Schülern schnell wieder aus der Erinnerung schwindet. Keineswegs wird der Satz „auf Ehrenwort geglaubt" (wie ein bekannter Witz über die Lehrmethoden in preußischen Kadettenanstalten meint). Grundsätzlich erwartet man, daß *alle* mathematischen Sätze beweisbar sind; darin liegt gerade die große Überzeugungskraft der Mathematik.

Nun konnte aber *K. Gödel* in einer berühmt gewordenen Arbeit von 1931 zeigen, daß schon die Zahlentheorie (eine Grundlagentheorie der Mathematik) den üblichen Vorstellungen von Beweisbarkeit nicht voll entspricht.[8] Es geht dabei um den Nachweis, daß sich in der Zahlentheorie ein Satz bilden läßt, der unentscheidbar bleibt, solange man an der Widerspruchsfreiheit der Zahlentheorie festhält. Dieser „Gödelsatz" hat zunächst die gleiche Struktur wie das obige Kreter-Paradoxon; man könnte ihn formulieren als: „Ich, als zahlentheoretischer Satz, bin in der Zahlentheorie nicht beweisbar." Nur hat Gödel die Vermischung von objekt- und metasprachlichen Ebenen dadurch vermieden, daß er seinem Satz die Form eines (objektsprachlichen) zahlentheoretischen Satzes gab, ihn also in der Sprache der Zahlentheorie selbst schrieb (die

[8] Vgl. D. R. Hofstadter, Gödel-Escher-Bach, Stuttgart 1985. (Ein stattliches Buch, das in amüsanter, aber präziser Weise Gödels Theorem entwickelt.)

berühmte Methode der „Gödelisierung", in der es darum geht, alle Symbole und Aussageformen der Zahlentheorie nur durch Zahlen darzustellen).

Von axiomatisch aufgebauten, deduktiven Theorien wird erwartet, daß sie widerspruchsfrei und vollständig sind, d.h. daß man in ihnen nicht zwei einander widersprechende Sätze herleiten kann und daß bei jedem Satz, der in solch einer Theorie auftaucht, entscheidbar sein muß, ob er wahr oder falsch ist. *David Hilbert* hatte noch am Anfang dieses Jahrhunderts gemeint, formale Systeme (Kalküle) wie die der Mathematik könnten die beiden Bedingungen ausnahmslos erfüllen. *Gödels Theorem* zeigte dagegen: Man kann an der Widerspruchsfreiheit der Zahlentheorie festhalten; dann ist sie wegen der Unentscheidbarkeit des Gödelsatzes *unvollständig.* Oder man hält an der Vollständigkeit der Zahlentheorie fest, aber dann muß man *Widersprüche* in ihrem Gebäude in Kauf nehmen. Und was für die Zahlentheorie gilt, gilt auch für andere, entsprechend aussagekräftige („reiche") Kalküle der Mathematik bzw. der mathematischen Logik. Das Gödel-Theorem ist wie ein Wurm, der sich im Kern von Mathematik-Gehäusen nährt und dafür sorgt, daß diese Gehäuse faul werden.

Eine Situation, die für Mathematiker nicht sehr gemütlich ist! Sie darf allerdings nicht mißverstanden werden. Gödels Einsichten führen keineswegs dazu, daß nun auf einmal die ganze Mathematik unzuverlässig wird und ihre Rechnungen nicht mehr stimmen. Seine wesentliche Bedeutung hat das Gödel-Theorem nicht so sehr für die konkrete Ausübung mathematischer Praxis, sondern eher für die Philosophie der Mathematik. Diese Philosophie war seit *Descartes* und *Leibniz* auf das Konzept der „Mathesis universalis" fixiert, doch davon galt es nach 1931 Abschied zu nehmen. Nicht alles in der Mathematik ist mathematisch entscheidbar, und wenn nun die Computer unsere Welt zu mathematisieren scheinen, so muß man bedenken, daß auch sie als „Rechner" dem Gödel-Theorem unterworfen sind. Wollte man das Kreter-Paradoxon für einen Computer aufbereiten (programmieren) und ihn auffordern zu entscheiden, ob der Kreter die Wahrheit spricht oder lügt, so würde der Computer eine Folge von „wahr / falsch / wahr / falsch / . . ."-

OUTPUTS liefern, die nie endet! Entsprechend unentscheidbar wäre für ihn der Gödel-Satz.

Darf man solche Sätze also gar nicht erst aufstellen? Diese Frage geht genauso am Kern des Problems vorbei wie ein Verbot, von der „Menge aller Mengen“ zu reden. Gewisse mathematische Begriffe oder Sätze sind nun einmal da; es kommt nur darauf an, ob sie sich mit Bedeutung füllen lassen. In einer auf *Platon* zurückgehenden Tradition war man davon überzeugt, es *gäbe* bestimmte mathematische Inhalte in einem ewigen Ideenreich, unabhängig davon, ob diese Inhalte vom Menschen erfaßt werden oder nicht. *Kant* hat mit seiner kopernikanischen Wende von diesem Absolutheitsanspruch Abschied genommen, dafür aber die Geltung des Mathematischen in den festen Strukturen der menschlichen Vernunft zu verankern gesucht. Seit *Russell* und *Gödel* ist nun deutlich geworden, daß diese Vernunft auf eine Weise gestaltet ist, die Unentscheidbarkeit (im obigen Sinne) impliziert. Sie verfügt über fast unbegrenzte Fähigkeiten, Strukturen und Kalküle zu entwerfen, in ihnen abstrakte Operationen durchzuführen, die völlig unanschaulich sein mögen (z.B. Algebren in mehr als dreidimensionalen Räumen zu konstruieren), aber sie kann nicht alles. Ein unentscheidbarer Satz im Sinne Gödels zeigt, daß sie das von ihr selbst entworfene Konzept widerspruchsfreier und entscheidbarer Kalküle nicht in jedem Fall erfüllen kann. Es handelt sich hier um *Grenzen der Vernunft*, die ihr nicht von außen gesetzt werden, sondern aus ihr selbst stammen, die also durch die Strukturen unserer eigenen Denkfähigkeit vorgegeben sind. Das Problem, was wir denken können, ist ein anthropologisches, d.h. *unser* Problem. Wie es der Mathematiker *Gerhard Frey* einmal formulierte: „Es gibt wahrscheinlich keine absolute Begründung der Mathematik. Der Mensch erzeugt sich in der Mathematik annähernd ideale Gebilde, aber weil sie seine eigenen Geschöpfe sind, kann er sie von einem letzten Erdenrest nicht befreien.“[9]

[9] G. Frey, Einführung in die philosophischen Grundlagen der Mathematik, Hannover 1968, 111.

Gesetzt den Fall, ein Computeringenieur baut in sein Schaltwerk systematische Fehler ein, die bei bestimmten Prozessen immer auf Widersprüche oder Unentscheidbarkeiten führen müssen. Dann wäre sein Computer nicht in der Lage, vollständige Kalküle zu entwickeln; er müßte auf Paradoxien bzw. Antinomien stoßen. Wenn unser menschliches Denkvermögen nun in die gleiche Situation gerät, dann könnten wir schließen, daß auch unsere (mathematisch-logische) Vernunft auf einer Hardware basiert, die uns bei bestimmten Denkprozessen unweigerlich in Sackgassen laufen läßt. *Descartes* hat diese Möglichkeit geahnt. In seinen „Meditationen" erwägt er, nicht der allgütige Gott, sondern ein böser Dämon *(deus malignus)* könne uns so geschaffen haben, daß wir uns bei bestimmten Denkprozessen immer irren *müssen,* sogar ohne es zu merken.[10] Descartes konnte sich aus dieser fatalen Überlegung nur retten, indem er auf die Güte Gottes vertraute. Aber wenn man diese Zuflucht nicht akzeptiert, bleibt es offenbar dabei: Das menschliche Gehirn kann so geschaltet sein, daß es – wenigstens in bestimmten, aber gravierenden Fällen – nicht in der Lage ist, Antinomien auszuweichen. Die Situation seit Gödel zeigt, daß wir damit rechnen müssen.

Das würde bedeuten: Die menschliche Vernunft besitzt nicht die Fähigkeit, mit sämtlichen von ihr selbst konstruierten Problemen fertig zu werden; sie ist in ihrem eigenen Raum nicht absolut souverän. *Das macht alle Utopien von menschlicher Vollkommenheit zunichte.* Es gibt eine interessante Frage: Denkt unser Gehirn, oder denken wir mit unserem Gehirn? Wäre das Letztere der Fall, so bliebe die Souveränität des Geistes, der *über* seinen Mitteln schwebt, gewahrt (das scheinen *Karl R. Popper* und *John Eccles* anzunehmen, wenn sie über Denken und Gehirn meditieren). *Denkt aber unser Gehirn,* dann könnte es nur so denken, wie das in seinen neuralen Netzwerken vorgegeben ist, und wir dürfen nicht voraussetzen, seine Evolution werde es auf eine Weise gestaltet haben, die uns Enttäuschungen auf der mathematisch-logischen Ebene er-

[10] R. Descartes, Meditationen I, 10.

spart. Es bleibt nicht aus, daß man Vernunft auch im Rahmen ihrer biologischen Prämissen betrachten muß.

b) Vernunft und Leiblichkeit. Die KI (Künstliche Intelligenz)-Forschung hat sich lange Zeit wenig um solche Prämissen gekümmert; stattdessen hat sie die Möglichkeiten ihrer Systeme im Raum „reiner Vernunft" entwickelt, d.h. Programme entworfen, die im Sinne einer abstrakten Intelligenz verstanden wurden. Zwar haben gerade die Arbeiten an Übersetzungscomputern gezeigt, welche ungeheure Bedeutung die Kontextabhängigkeit normaler Sprachen besitzt, aber auch die dabei entstehenden Probleme sind grundsätzlich abstrakter Natur, d.h. sie nehmen „Sprache" als isoliertes Phänomen, das keinen anderen Bezug zum sprechenden Menschen hat als einen rein formalen: Zur Sprache gehört (irgendein) Sprecher. So bleibt schließlich der intelligenteste Computer (besser: das intelligenteste Computerprogramm) immer noch ein Etwas, das völlig anders aussieht als ein konkreter Mensch.
Das ist eigentlich selbstverständlich, und manchmal wird es sogar als Überwindung von Anthropomorphien gefeiert. Ein Vergleich liegt nahe. Als die ersten Autos gebaut wurden, hatten sie noch viel Ähnlichkeit mit den damals üblichen Pferdekutschen; erst allmählich begann man, dem Automobil eine Form zu geben, die gleichsam „arteigen" seiner Funktion entspricht und die Kutschenanalogie hinter sich läßt. Bei Computern würde niemand ernstlich auf die Idee kommen, sie müßten, um menschliche Intelligenz nicht nur zu simulieren, sondern wirklich „intelligent" zu sein, auch die Gestalt des menschlichen Körpers annehmen, also wie echte Menschen aussehen. Ihnen Gesichter zu verpassen, bleibt naiver Science-Fiction vorbehalten.
Die Frage aber ist, ob dann Computersysteme noch auf gleiche Weise intelligent oder gar vernünftig sein können wie der Mensch. Läßt sich Denkvermögen so abstrakt fassen, daß es ohne Bindung an eine entsprechende Leiblichkeit zu verwirklichen ist? Diese Frage hat in neuerer Zeit der KI-Kritiker *Hubert L. Dreyfus* gestellt. Seiner Meinung nach übersehen die meisten KI-Forscher etwas Entscheidendes:

„Sie sind gezwungen, eine Theorie des intelligenten Verhaltens zu entwickeln, ohne auf die Tatsache zurückzugreifen, daß der Mensch einen Körper hat – denn der Computer besitzt, zumindest auf der gegenwärtigen Entwicklungsstufe, offenkundig keinen. Mit der Idee, daß man getrost vom Körper absehen könne, folgen diese Denker der Tradition, die von Platon bis Descartes den Körper als etwas betrachtete, das der Intelligenz und der Vernunft im Wege steht, anstatt ihn als unverzichtbar anzusehen. Wenn sich der Körper als unentbehrlich für intelligentes Verhalten herausstellt, dann werden wir uns fragen müssen, ob der Körper von einem heuristisch programmierten Digitalcomputer simuliert werden kann. Wenn nicht, dann ist das Unternehmen „Künstliche Intelligenz" von Anfang an zum Scheitern verurteilt."[11]

Anders gesagt: Zum Kontext künstlicher Intelligenz gehört nicht nur das Umfeld normalsprachlicher Strukturen, sondern die Einbettung intelligenter Leistungen in konkrete Leiblichkeit. Denken ist kein Abstraktum, sondern stützt sich auf grundlegende anthropologische Bedingungen, die bis in die Anatomie unseres Körperbaus hinabreichen.

Dreyfus hat diese kritische Position aus seiner Beschäftigung mit der Phänomenologie *Merleau-Pontys* und der Existentialanalytik *Heideggers* gewonnen: übrigens ein Ansatz, der für die amerikanische Philosophie der Gegenwart keineswegs typisch ist! Es geht bei Dreyfus aber gar nicht in erster Linie um Computer, sondern darum, was Denken bzw. Vernunft überhaupt möglich macht. Und das kann nicht formal, sondern nur durch die Analyse des konkreten In-der-Welt-Seins des Menschen und seiner Leiblichkeit aufgewiesen werden.

Dreyfus gibt Beispiele (im Anschluß an Merleau-Ponty). Wenn jemand wissen will, wie sich Seide anfühlt, muß er seine Hand über den Stoff gleiten lassen und alle dabei wirksam werdenden Empfindungen registrieren. Ohne die Möglichkeit, die Hand zu bewegen, ohne kinästhetische Wahrnehmungen bleibt der Begriff „Seide" leer, und ähnliches gilt für die Erlebnisse des Schmeckens, Rie-

[11] H. Dreyfus, Die Grenzen künstlicher Intelligenz, Königstein/Ts. 1985, 41.

chens und Hörens: Sie setzen eine Leibhaftigkeit voraus, die uns mit den Dingen der Welt verbindet. Am deutlichsten beim Sehen und Tasten: Wie wesentlich diese Funktionen für die Eigenart menschlichen Denkens sind, zeigen sogar Worte der Sprache. „Begreifen", „Begriff", „Einsehen", „Umsicht": Da ist Körperliches unmittelbar im Spiel. Die von Dreyfus genannten Beispiele lassen sich weiterführen. Aufmerksamkeit etwa ist nicht nur ein intellektuelles Verhalten, sondern betrifft den ganzen Menschen, der z. B. den Kopf wendet, seinen Blick richtet, etwas „ins Auge faßt", Dinge liegen läßt, die ihn ablenkten usw. In der Erwartung kann das Herz höher schlagen, Angst kann die Kehle zuschnüren. Und selbst das Nachdenken über ein mathematisches Problem wird von Körperlichem begleitet oder gar getragen: Man kann dabei gelöst oder verkrampft sein, zur Ruhe kommen oder in Aufregung geraten, bis der Blutdruck steigt.

Ferner gibt es kein Denken, das nicht auch seine *gefühlsmäßige* Seite hat. Einer Idee zustimmen, ein Argument ablehnen, auf eine Problemlösung warten, bei einem Fehler stutzen, überrascht sein usw.: Alles das sind Regungen, die auch das abstrakte Denken unweigerlich begleiten. Das heißt nicht, daß bestimmte Gedanken und bestimmte Gefühle fest miteinander gekoppelt sein müssen. Aber zu meinen, ein bestimmtes Denken erfolge „fühllos", ist selbst schon wieder von Gefühlen begleitet. Und daß Denken nicht ohne *Phantasie* schöpferisch werden könne, ist wohl leicht einzusehen. Die ganze Mathematik belegt in ihrer Geschichte, daß erst durch kreative Entwürfe der Mathematiker, durch freie Spiele im Raum des nur Ausgedachten jene Kalküle möglich wurden, die dann – gleichsam durch „präzise Phantasie" – mathematischen Fortschritt schufen.

Das alles sind Phänomene, die sich ganzheitlich verstehen lassen (bei allem Vorbehalt gegen obsolete Ganzheitsideologien), und *Dreyfus* denkt ganzheitlich. Aber man kann seine Kritik am abstrakten Intelligenzbegriff auch anders fundieren. Wenn Vernunft eine menschliche Disposition ist, so hat diese Vernunft doch ihre Geschichte, und zwar im doppelten Sinne. Einerseits stammt sie aus einem *Evolutionsgeschehen*, das zurückreicht bis zur Aufrich-

tung unserer Art-Vorfahren, d.h. bis zum aufrechten Gang. Es ist heute anthropologische Standardtheorie, daß erst die Aufrichtung zur Entlastung der Nackenmuskulatur und zur Ausbildung einer Kopfform führte, die dem Gehirn Platz zu seinem überproportionalen Wachstum bot; dann aber sind die mit diesem Gehirn (insbesondere mit dem Großhirn) verbundenen Möglichkeiten eng an die Form des menschlichen Organismus geknüpft. Andererseits hat aber unser Denkvermögen auch seine *Geschichte* und in ihrem Verlauf Umwandlungen erfahren, die es fraglich machen, ob man das Denken des modernen Menschen substantiell als dasselbe ansehen kann wie das Denken in der Antike oder im Mittelalter (vgl. Dilthey). Auch in dieser Hinsicht ist Vernunft kein Abstraktum, sondern eingebettet in die geschichtliche Welt und die sich je und je anders gestaltende Wirklichkeit.
Ein KI-Forscher wie *John Haugeland*[12] mag recht haben, wenn er behauptet, der Mensch sei im Grunde genommen ein Computer. Aber man müßte hinzufügen, daß dieser Mensch dann nicht nur in Hinsicht auf sein irgendwie isoliertes Gehirn computerhaft ist, sondern im ganzen, z.B. so, wie er in vorprogrammierter Weise beim Gehen seine Beine bewegt und seine Füße, ohne bei jedem Schritt nachzudenken, was sein Knie gerade tut oder sein großer Zeh. Wäre es anders, dann müßten wir auf unsere Körper verzichten können, unsere Gehirne in einer leckeren Nährlösung schwimmen lassen und trotzdem „denken". Für eine Gruselgeschichte à la Gustav Meyrink ein schönes Thema, aber mit tatsächlichem Menschsein dürfte es nichts mehr zu tun haben.

Das Muster reiner Vernunft, das Mathematik und Logik lange Zeit zu bieten schienen, kann heute nicht mehr unbefragt hingenommen werden. Die Mathematik hatte sich ihre vermeintlich absolute Sicherheit erkauft durch den Rückzug auf formale Kalküle, die nichts mit der Wirklichkeit zu tun haben; allerdings muß sie sogar in diesem Rahmen zurückstecken *(Gödel!)*. Vernunft, die sich der Realität zuwendet (wie z.B. in den empirischen Wissenschaften),

[12] J. Haugeland, Künstliche Intelligenz – Programmierte Vernunft, Hamburg/New York 1987.

tut das unter Aufgabe aller Ansprüche, ihre Sätze mit letzter Gewißheit äußern zu können. Anders gesagt: Die Axiome, mit denen mathematische Spiele beginnen, sind so wenig „realistisch“ wie der Aufbau der Figuren beim Beginn eines Schachspiels.
Die Frage, ob es nun nicht auch so etwas wie „Axiome des Wirklichen“ geben könne, die also die Realität bestimmen und trotzdem gewiß sind, übersteigt die Grenzen menschlicher Vernunft. Man könnte ein bißchen spekulieren und sagen, das müßten die Axiome (Startpositionen) sein, nach denen Gott die Welt geschaffen hat; dann bestimmte die Vernunft Gottes das, was ist, und wäre zugleich über jeden Zweifel erhaben. Aber dann müßten wir eingestehen, daß solch eine „Vernunft des Allmächtigen“ nicht *unsere* Vernunft sein kann, ja nicht einmal Vernunft im echten Sinne des Wortes. Sie wäre „Übervernunft“ und unfaßbar. Sie würde sich als Vernunft selbst aufheben. Wenn man schon von Vernunft reden will, muß man wohl bei der *conditio humana* bleiben, mit allen Einschränkungen, die dadurch gegeben sind. Aber was kann im menschlichen Rahmen „Vernunft“ heißen, und wann kann menschliches Verhalten als „vernünftig“ angesehen werden?

3. Vernunft als die Fähigkeit, Neues zu denken

Ein direkter Weg zur Beschreibung vernünftigen Verhaltens führt über die Frage, *wie sich Probleme lösen lassen.* Um ein einfaches Beispiel zu nehmen: Jemand möchte von A-Dorf nach B-Dorf wandern. Auf dem Wege dorthin kommt er an eine kleine Brücke, aber sie ist verwittert und in der Mitte durchgebrochen. – Was tun? – Man könnte vielleicht die Lücke überspringen, aber da unser Wanderer mit einem schweren Rucksack beladen ist, erscheint ihm diese Möglichkeit als zu riskant. Er sieht sich nach einem passenden Brett um, das sich über das Loch der Brücke legen ließe, aber es findet sich nichts Geeignetes. Also geht er das Ufer ein Stück ab, um anderswo einen besseren Übergang zu erreichen. Die Suche bleibt erfolglos. Und nun wägt der Wanderer ab: Lohnt es sich überhaupt, eventuell schwierige Operationen vorzunehmen, um doch noch zu dem bisherigen Ziel zu gelangen, oder ist es am Ende ratsamer, auf den Ausflug nach B-Dorf ganz zu verzichten und umzukehren? Der Wanderer resigniert, gibt auf und sagt sich, daß in A-Dorf ein ansprechendes Wirtshaus locke, wo er bei einer guten Flasche Wein sein Problem auf unvorhergesehene, aber angenehme Weise erledigen könnte.

Die ganze Geschichte findet ihre Entsprechung in Situationen, die aus der Verhaltensbiologie bekannt sind. Ein Huhn steht vor einem Gartenzaun, hinter dessen Maschen ein paar appetitliche Körner locken. Es will unbedingt an die Körner herankommen und steckt immer wieder seinen Kopf durch die vor ihm liegenden Maschen, mit sturer Beharrlichkeit, als könne ein Wunder geschehen und der Zaun plötzlich nachgeben. Es benimmt sich ganz nach der Redensart, jemand wolle mit dem Kopf durch die Wand, rackert sich ab, ohne die Fruchtlosigkeit seines Bemühens einzusehen, und ist nur auf eine einzige Strategie der Problembewältigung fixiert: Wenn ich an die Körner will, muß ich hier und jetzt auf kürzestem Wege durch den Zaun! – Es ist eben ein „dummes Huhn"!

Übrigens dürfte nach einiger Zeit der Elan des Huhnes nachlassen (nicht aus Einsicht!) oder in eine *Ersatzhandlung* münden: Es pickt an der Stelle, an der es gerade ist, vor sich hin ins Leere, als sei dort auch etwas zu finden. Der genetisch vorprogrammierte Sprung in solche Leerlaufprozesse bewahrt das Huhn davor, sich völlig zu verausgaben, hat also eine durchaus sinnvolle biologische Funktion. Nur weiß das Huhn nichts davon!

Ein Hund würde sich in entsprechender Lage sehr viel „intelligenter" verhalten. Hätte er hinter dem Zaun einen wohlriechenden Knochen bemerkt, so hätte er vielleicht auch ein paar Versuche gemacht, gleich an Ort und Stelle das Hindernis zu überwinden. Aber bei ausbleibendem Erfolg würde er vermutlich *seine Strategie ändern,* am Zaun entlanglaufen, bis er die offenstehende Gartenpforte erreicht und dann „von hinten" an den Knochen herankommen kann. Dabei mag das Ziel seines Verlangens für einige Zeit völlig aus seinem Blick- und Riechfeld verschwinden: Es bleibt doch als vorgestelltes präsent und fest lokalisiert (während Hühner nur auf Reize reagieren, die unmittelbar wirken).

Allerdings: Wenn die Gartenpforte verschlossen ist und der Hund gar nicht ans Ziel seiner Wünsche gelangen kann, mag auch bei ihm der Mechanismus einer Ersatzhandlung einrasten. Er hockt sich hin und beginnt urplötzlich, intensiv nach einem (nicht vorhandenen) Floh in seinem Fell zu suchen, sich zu kratzen und zu beißen, als sei die Erledigung dieses Flohs viel dringender als jeder Versuch, doch noch an den Knochen zu kommen.

Strategiewechsel (nicht mit dem Kopf durch die Wand, sondern nach Erfolg versprechenden Umwegen suchen) ist offenbar ein wesentliches Moment intelligenten Verhaltens, auch beim Menschen. Außerdem ist dabei die Fähigkeit entscheidend, sich vom unmittelbar Gegebenen lösen zu können, sich z.B. etwas vorzustellen, das gar nicht real da ist, sondern nur als Möglichkeit offensteht. In diesem Sinne ist auch Vernunft an Imagination, sogar an Fantasie gebunden, doch da erweist sich der Mensch häufig genug als Mangelwesen. Trotz seiner Disposition zu vernünftigem Verhalten bleibt er oft auf der Stufe stehen, Probleme nur immer durch eine und nur eine Strategie lösen zu wollen, z.B. Frieden durch Abschreckung zu sichern. Fehlt dann die Möglichkeit, sich andere Wege auch nur vorzustellen – geschweige denn, sie einzuschlagen –, so entsteht die obige „Hühnersituation", nur mit anderen, fataleren Folgen.

Um auf das Beispiel des Wanderers zurückzukommen: Natürlich ließe sich die Umkehr ins Wirtshaus als Ersatzhandlung interpretieren, aber das wäre schief. Echte Ersatzhandlungen folgen Instinktprogrammen, sind also im Verhaltensrepertoire eines Lebewesens fest verankert. Indem sich der Wanderer sagt, es sei besser, ins Wirtshaus zurückzugehen, statt erfolglose Bemühungen am Flußufer fortzusetzen, verändert er jedoch mit vollem Bewußtsein seine *Zielvorgabe.* Er wechselt gleichsam die Systemebene und nimmt sich etwas Neues vor. Vielleicht ist diese Art, auf ein angestrebtes Ziel verzichten zu können und es gegen ein anderes auszuwechseln, das bezeichnendste Indiz intelligent-vernünftigen Verhaltens. Allerdings muß man vorsichtig sein und darf es nicht einfach als typisch menschlich ansehen. Immerhin gibt es Maschinen, die ähnliche Fähigkeiten besitzen, nämlich im Bereich *kybernetischer Systeme.* Bei ihnen geht es darum, daß ein sich selbst steuernder Apparat einen bestimmten *Sollwert* anstrebt und darauf angelegt ist, jede Abweichung von diesem Wert auszuregeln. Als Standardbeispiel dient meist eine Heizungsanlage, die von ihrem Thermostaten angeschaltet wird, wenn es zu kalt geworden ist, und die derselbe Thermostat dann wieder abstellt, wenn der gewünschte Sollwert der Temperatur erreicht ist. Im ganzen kann auf solche Weise die Situation eines Systems stabilisiert werden (etwa die Zimmerwärme); der jeweilige Sollwert entspricht einer Zielvorgabe. Oder der Autopilot hält ein Flugzeug auf Kurs, ohne Eingriffe des Kapitäns, und stabilisiert dadurch die Flugbewegung. Sollte allerdings die Stabilisierung nicht gelingen oder unnötig werden, so können entsprechend konstruierte kybernetische Maschinen von sich aus den Sollwert ihres Regelsystems ändern. Ein vom Autopiloten gesteuertes Flugzeug könnte über einem gesperrten Flugplatz seinen Kurs ändern und ein neues Ziel anfliegen oder in eine Warteschleife übergehen. Aber ein im technischen Bereich vollzogener Wechsel von Sollwerten und die damit verbundene Änderung des Systemverhaltens setzen doch immer voraus, daß der Wechsel selbst *vorgeplant* bzw. von einem Systemtechniker vorprogrammiert wurde, während der Wechsel von einem Handlungsziel zu einem anderen weitgehend der menschlichen Entscheidung vorbehalten bleibt und nicht unbedingt festgelegt ist. Der Wanderer aus dem obigen Beispiel *muß* nicht nach dem Scheitern an der Brücke ins Wirtshaus zurückkehren; er könnte sich auch ganz etwas anderes vornehmen.

In diesem Sinne ist menschliches Verhalten gegenüber den in der Tierwelt herrschenden Instinktbindungen *offen*, nicht vorprogrammiert bis in jedes Detail, sondern auf eigentümliche Weise frei für den spontanen Wechsel von Handlungszielen. „*Weltoffenheit*" als anthropologische Grundbestimmung meint genau dies: Das Tier lebt in einer geschlossenen Umwelt, auf die es eingestellt und für die es in meist optimaler Weise durch evolutionäre Prozesse vorprogrammiert ist; der Mensch hat zwar auch seine biologische Evolution hinter sich, aber nur bis zu einem Augenblick, in dem er aus der Determination gleichsam heraustritt ins Unfertige, Unabgeschlossene. *Arnold Gehlen* hat ihn daraufhin als „Mängelwesen"

bezeichnet[13], aber der negative Akzent dieses Begriffs verleitet dazu, die Chancen des Unfertigen zu übersehen. Gerade weil für den Menschen *nicht* alles von vornherein festliegt, kann er wählen, imaginieren, Ziele setzen oder aufgeben, und diese anthropologische Qualität muß berücksichtigen, wer von der Vernunft des Menschen reden will. Ohne Weltoffenheit wäre sie nicht, was sie ist.
Nun zeigt allerdings der Vergleich mit kybernetischen Maschinen, daß es durchaus möglich ist, Teilstrukturen vernünftigen Verhaltens in ihnen nachzubilden bzw. in ihre Prozesse hineinzuprojizieren (so etwa bei dem Autopiloten, der selbsttätig seine Zielvorgabe ändert). In diesem Sinne kann man auch hier von „Künstlicher Intelligenz" (KI) reden, ähnlich wie bei den Expertensystemen (vgl. Kap. II, 2). Ob allerdings solche Systeme die Sphäre „vernünftigen" Verhaltens erreichen, ist eine vorerst offene Frage.
Festzuhalten bleibt, daß intelligente Maschinen stets darauf hinarbeiten, Sollwerte zu erreichen und den dadurch vorprogrammierten Zustand zu stabilisieren. Wenn nun aber der Mensch ein prinzipiell *offenes* System ist, wird es schwierig, Stabilität in sein Verhalten zu bringen. Das Ungesicherte menschlicher Existenz birgt Gefahr, nicht nur auf der biologischen Ebene, wo nach *Gehlen* der Mensch seinen ganzen Erfindungsreichtum einsetzen muß, um die seiner Natur eigenen Mängel zu kompensieren, sondern vorrangig noch im Psychischen, das weit größere Probleme aufwirft. Wenn es denn so ist, daß der frühe Mensch eine Gehirnkapazität erworben hatte, die wesentlich weiter reichte, als die Befriedigung unmittelbar materieller Bedürfnisse erfordert hätte, wenn schon im Urwald potentielle Einstein-Gehirne herangewachsen waren, so muß man sich fragen: Was trieb ein unausgelasteter Neokortex? *Lewis Mumford* hat darauf eine einleuchtende Antwort gegeben[14]: Das Luxushirn des Urmenschen *spielte mit sich selbst,* produzierte Träume, Halluzinationen, Fantasien, die zunächst den gleichen Realitätsgehalt zu haben schienen wie die sinnlich wahrgenommene Wirklichkeit: „Wenn der Mensch ursprünglich ein träumendes

[13] A. Gehlen, Der Mensch, Bonn ^{8}1966.
[14] L. Mumford, Mythos der Maschine, Frankfurt 1980 (amerikanische Ausgabe 1964–1970).

Tier war, so ist ziemlich wahrscheinlich, daß er auch ein verwirrtes Tier war; und die Quelle seiner schlimmsten Ängste war seine eigene überaktive Psyche." Das ist die Kehrseite der anthropologischen Weltoffenheit. Nicht nur die materiellen Bedingungen menschlichen Lebens mußten gesichert werden, sondern der aus dem Tierreich hervortretende Homo sapiens mußte lernen, mit sich selbst zurechtzukommen und etwas zu erlangen, was man als „seelisches Gleichgewicht" bezeichnen könnte.

Dabei ist das „System Mensch" nichts Statisches. Seine Innerlichkeit mit ihren ständig wechselnden Empfindungen, Erlebnissen, Träumen und Fantasien läßt sich am ehesten durch die Heraklitische Formel „Alles fließt" beschreiben. Unter solchen – sehr komplexen – Umständen so etwas wie innere Stabilität hervorzubringen, war schon für den frühen Menschen allererste Lebensaufgabe, und sie zu lösen, verlangte *Kreativität* im weitesten Sinne. Der Gefahr eines psychischen Chaos' war nur zu begegnen, indem der frühe Mensch im Aufdämmern seiner *conditio humana* sich das bildete, was wir heute zusammenfassend als *Kultur* bezeichnen, wobei man *N. Luhmann* folgen kann, der im Kulturphänomen eine „Überwindung von Komplexität" sieht.[15] Kultur ist von ihrem Ursprung her kein Luxus, den sich der Mensch leisten konnte, nachdem er genug zu essen und zu trinken hatte, sondern sie ist die primäre Voraussetzung dafür, die chaotischen Phänomene der eigenen Innerlichkeit bewältigen und in einen strukturell geordneten Zusammenhang, in ein *Fließgleichgewicht* bringen zu können. Kultur durfte nicht nur, sie mußte sein.

Daß diese ungeheure Aufgabe immer wieder – meist mehr schlecht als recht – gelöst werden konnte, in den verschiedensten Kultursystemen unter verschiedensten Bedingungen und mit den verschiedensten Methoden, ist offenbar dem zu verdanken, was pauschal als „Vernunft" bezeichnet wird, wobei dieser Begriff mehr bedeutet als Ratio, Verstand oder Intelligenz. Vernunft ist – von dem soeben skizzierten Zusammenhang her gesehen – die Fähigkeit des Menschen, *strukturell-ideelle Systeme zu bilden, die innere*

[15] N. Luhmann, Zweckbegriff und Systemrationalität, Tübingen 1968.

Stabilität des Psychischen ermöglichen. Wie solche Systeme aussehen, ist nirgendwo vorprogrammiert. Sie sind Schöpfungen, Entwürfe und Ausgestaltungen dessen, was der Mensch „sich denkt", nicht allerdings in einem individuellen Bemühen, sondern im Ganzen seiner jeweiligen kulturellen Gemeinschaft, d.h. der einzelne steht hier empfangend und gebend im Zusammenhang einer „Welt", die für ihn einen ähnlichen Status hat wie das Über-Ich in der psychoanalytischen Theorie Freuds. Die jeweiligen Kultur-Ganzheiten können dabei magischen, mythischen, religiösen Charakter haben, sie können durch das Künstlerisch-Ästhetische geprägt sein, sie können sich an den Primat der Erkenntnis binden wie in der griechischen Philosophie oder an meditative Einstellungen wie im frühen Indien; sie können „rational" werden im engeren Sinne des Vernunftbegriffs der Neuzeit, aber sie bleiben im wesentlichen Regelsysteme, d.h. Strukturganzheiten, die auf Stabilität angelegt sind.

Um hier keine Mißverständnisse aufkommen zu lassen: Nach dem Gesagten ist der magische Ritus, in dem ein afrikanischer Medizinmann die Dämonen seiner Welt beschwört, nicht weniger vernünftig als das Gebet des frommen Mönchs in seiner mittelalterlichen Klosterzelle oder als der technologische Entwurf eines heutigen Sozialingenieurs, der gesellschaftliche Probleme in den Griff zu bekommen sucht. Das Vernünftige ist primär das, was die eigenen Ängste in Schranken hält, und erst in zweiter Linie läßt es sich an dem messen, was es in der äußeren Welt bewirkt. Vernunft ist, um es pointiert zu sagen, ihrem Wesen nach *introvertiert,* und erst in der geschichtlichen Entwicklung zur Neuzeit hin hat sich der Anschein gebildet, Maßstab vernünftigen Verhaltens müsse der nach außen sichtbare Erfolg sein. Dieser instrumentelle Aspekt des Vernünftigen gehört vielleicht der Moderne, kaum aber der Postmoderne an.

Auch die verwegensten Theorien moderner Naturwissenschaft sind „vernünftig" im Sinne eines Konzeptes, das den Entwurfcharakter der Vernunft in den Vordergrund stellt. Sie müssen nicht einmal dem Anspruch genügen, verifizierbar (oder wenigstens falsifizierbar) zu sein. Was heute von Theoretikern über Elementarteilchen, Quarks, Urkräfte, Strings und Superstrings gedacht wird, enthält immer häufiger den Hinweis, außerhalb experimenteller Kontrollmöglichkeiten zu liegen und sich nur durch innere Stimmigkeit rechtfertigen zu lassen. Damit gewinnen solche Entwürfe fast so etwas wie den Charakter von Glaubensaussagen, was aber gerade nicht heißt, da werde die Vernunft außer Kraft gesetzt. Sie erhält nur einen neuen (oder sehr alten) Rahmen. Es kommt oft gar nicht mehr darauf an, ob eine bestimmte Theorie im empirischen Sinne das Richtige trifft, sondern ob sie die Zunft der Physiker zufriedenstellt.

Immerhin hat diese Zunft sehr hochgesteckte Maßstäbe, was den Status des für sie Vernünftigen betrifft. Das gegenteilige Extrem wäre die Bescheidenheit, mit der der vielzitierte Kleinbürger sich eine Welt von Stammtischmeinungen zusammenbastelt, mit denen er leben und sein inneres Gleichgewicht wahren kann (etwa im Sinne des „common sense", des gesunden Menschenverstandes oder gar des fatalen „gesunden Volksempfindens"). Wohlgemerkt: Der Unterschied ist nicht prinzipieller, sondern gradueller Natur, und schließlich gilt auch für die *Welt des Glaubens,* daß sie zunächst einmal nicht durch irgendeine Art überirdischer Wahrheit konstituiert wird, sondern durch Meinungen, die das seelische Wohlbefinden fördern.

Allerdings kann psychische Stabilisierung nie auf Dauer gelingen. Sie ist stets der Gefahr ausgesetzt, durch historisch-gesellschaftliche Wandlungen (Paradigmenwechsel!) erschüttert zu werden. Es ist hier nicht der Ort, die inneren Mechanismen solcher Wandlungen genauer zu untersuchen. Sie setzen ein, wo traditionelle Denkformen sich als widersprüchlich erweisen, auf Aporien stoßen, zur Bewältigung neuer Fragestellungen unzureichend sind, soziale Akzeptanz verlieren. Entscheidend ist, daß dann ein umfassender Strategiewechsel nötig wird, ein *Umdenken,* nicht nur im Methodischen, sondern auch in der Bestimmung von Handlungszielen, von wissenschaftlichen, gesellschaftlichen, politischen und moralischen Sollwerten, Normen, Maßstäben und Wertungskriterien. Dieser Wandel verlangt Offenheit für Neues, Fantasie und Risikobereitschaft; dann sind Entwürfe gefordert, die auch das Ungewöhnliche, bisher Undenkbare wagen. Es reicht dann nicht mehr aus, auf bereits vorhandenen Wegen nach Problemlösungen zu suchen, sondern neue Wege müssen gebahnt werden, und die Fähigkeit dazu ist im letzten und ursprünglichen Sinne das, was menschliche Vernunft kennzeichnet. Vernunft wäre zu eng gesehen, wollte man sie nur daran messen, ob jemand etwas einsieht und sich an vorgegebene Maßstäbe bzw. Regeln hält (z. B. die Regeln klassischer Logik). Gerade dort, wo das Vorhandene *nicht* ausreicht, um andrängende Probleme zu lösen, wird die Vernunft herausgefordert, und sie erweist sich dann als stark, wenn sie ihre konstruktiven Möglichkeiten ausschöpft, sich gleichsam Utopie-kompetent verhält und sogar das Unvorstellbare kalkuliert.

Das heißt nicht, die Vernunft dürfe sich wahllos im leeren Gespinst unverbindlicher Träumereien ergehen. Gerade die ständige Bereitschaft, das neu Gedachte der Kritik zu unterwerfen, kennzeichnet Vernunft: es in jeder nur möglichen Weise zu prüfen, auf seine Stichhaltigkeit hin zu befragen und nie endenden Bewährungsproben auszusetzen. Vernunft ist nicht nur Entwurf, sondern immer auch *Reflexion*, und dieses Sich-Zurückbeugen auf sich selbst gibt ihr die Möglichkeit zur Kontrolle. Nur muß eingeräumt werden, daß Selbstkritik der Vernunft keine absoluten Maßstäbe besitzt. Die Art, wie Vernunft sich im Zaume hält, ist nicht durch ewige Normen vorgegeben (wie Kant meinte), sondern muß ihrerseits je und je von der Vernunft neu gefunden und bestimmt werden. Sogar der naheliegende Einwand, schließlich sei doch die Wirklichkeit ein unhintergehbarer Prüfstein für alle Entwürfe der Vernunft, verfängt nicht, denn gerade das, was als „Wirklichkeit", gar als empirische Realität, angesehen wird, muß die Vernunft von Fall zu Fall neu finden.

Um nur ein Beispiel zu nennen: Für Jahrtausende war „der Himmel" so wirklich wie nur irgend etwas: als mythisch verstandener Urgott (Uranos bei Hesiod), als ineinandergeschachtelte Vielfalt konzentrischer Kristallsphären, als Heimstatt des Überirdischen. Da hat es viele Paradigmen der Himmelsvorstellung gegeben. Die Neuzeit aber hat diesen Himmel (bzw. die Pluralität von „Himmeln") abgeschafft und der Poesie überlassen, dem metaphorischen Reden. Neue Kriterien des Wirklichen machen es zur schlichten Unvernunft, wollte jemand noch ernstlich fragen, wo denn der Himmel anfängt. Wohl sagen wir weiterhin, der Himmel trübe sich ein, Wolken zögen über ihn hin, er sei von Sternen übersät usw. Die alten Paradigmen wurzeln tief in unserer Sprache und in unserem Gemüt. Aber auch das ist ein Problem der Vernunft: ständig zu prüfen, ob das von der Tradition her Vermittelte, noch im Denken Anwesende, sich verträgt mit den Vorstellungen, die der geschichtliche Zwang zum Umdenken herausgefordert hat. Wird hier gepfuscht, so stellen sich Risse und Brüche in dem geistigen System ein, das unsere je aktuelle Situation – sicher nur notdürftig und auf Zeit – stabilisiert, das unserem Leben hier und jetzt seinen Horizont und seine Orientierung gibt. Gerade in solcher Hinsicht ist die postmodern gewordene Moderne ein Tummelplatz für unkritisch übernommene Versatzstücke. Davon wird jetzt zu reden sein.

4. Ein anderes Denken?

Es gehört heute bereits zum guten Ton in allen Auseinandersetzungen über die geistige Situation unserer Zeit, ein „neues Denken" zu fordern, das uns aus den selbstverschuldeten Krisen der modernen Lebenswelt hinausführen soll. Diese Krisen werden auf verschiedene Weise diagnostiziert: als Werteverfall, als Wachstumshypertrophie, als Auseinanderdriften reicher Industrienationen und armer Entwicklungsländer, als Zerstörung von Umwelt, aber vornehmlich doch als Ergebnis einer Weltsicht, die eng in die Grenzen analytisch-mechanistischen Denkens gefügt war, wobei *Descartes* und *Newton* als die vorrangigen Sündenböcke genannt werden. Bei ihnen soll das Verhängnis seinen Anfang genommen haben: im Zerlegen der Wirklichkeit in lauter isolierte Teilbereiche und beim Versuch, sie alle mit den Mitteln einer differenzierenden, zergliedernden Ratio beherrschen zu wollen.

„Wendezeit", so sagt es *F. Capra* in seinem gleichnamigen Buch, sei die nun anbrechende Epoche eines neuen Denkens, das sich den komplexen Strukturen unserer Wirklichkeit öffnet und wieder das Ganze als Ganzes zu sehen lernt.[16]

Der gleiche Tenor findet sich, wenn der Physiker *David Bohm,* der Neurologe *Karl H. Pribram* u.a. ein neues „holographisches Weltbild“ verkünden, das nach dem Muster eines Abbildungsverfahrens geformt sein soll, bei dem auch im Detail immer schon das Ganze des Bildes steckt[17], und am entschiedensten hat *Marilyn Ferguson* die neue Tendenz beschrieben, nämlich als eine „Sanfte Verschwörung“, in der ein „neuer Geist“ *(New Age!)* die Krankheiten unserer Zeit heilen muß.[18] Außerdem gibt es Vorläufer, z.B. *Teilhard de Chardin,* der von New-Age-Vertretern gern als Kronzeuge genannt wird, und schließlich hat schon die *Anthroposophie Rudolf Steiners* mit ihren Spekulationen über Erkenntnis höherer Welten zu einem neuen Denken führen wollen.

Nun ist gegen ein Umdenken angesichts der vielfältigen Bedrohungen, denen wir uns heute ausgesetzt sehen, gar nichts einzuwenden, aber es bleibt doch zu fragen, was all das Pochen auf Ganzheitlichkeit leisten kann, ob da tatsächlich ein neues Paradigma aufgekommen ist und was den „neuen Geist“ so hoffnungsfroh von einem Gespenst unterscheiden läßt.

Es soll im folgenden nicht darum gehen, all die verschlungenen Wege der genannten Strömungen im einzelnen zu behandeln; das wäre des Guten zuviel. Aber gewisse Grundtöne lassen sich immer wieder ausmachen, Vorstellungsmuster, die zwar noch längst keine Paradigmen bilden, die es jedoch ermöglichen, Typisches herauszuarbeiten, und bei denen die Kritik ansetzen kann. Denn ohne kritische Einwände geht es hier nicht ab.

a) Kosmische Epochen: mißverstandene Geschichte. M. Ferguson gibt zwar am Anfang ihres Buches über die sanfte Verschwörung zu, nicht viel von Astrologie zu wissen, aber das hat sie nicht gehin-

[16] F. Capra, Wendezeit, Bern/München/Wien ^{8}1984.

[17] D. Bohm u.a. (Hg. K. Wilber), Das holographische Weltbild, Bern/München/Wien, Sonderausgabe 1988 (amerikanische Ausgabe Boston 1982).

[18] M. Ferguson, Die sanfte Verschwörung, München 1982 (amerikanische Ausgabe: The Aquarian Conspiracy 1980).

dert, dort eine kleine Anleihe zu machen, nämlich durch das Symbol des Aquarischen; in der amerikanischen Originalausgabe trägt ihr Werk den Titel „The Aquarian Conspiracy". Sie meint dabei, „daß wir nach einem dunklen, gewalttätigen Fische-Zeitalter eine Ära der Liebe und des Lichtes betreten" – im Übergang zur neuen *Epoche des Wassermannes* – und daß diese Zeit eine Zeit der „wahren Befreiung des Geistes" sein werde.[19]

Was dahintersteckt, ist eine kosmologische Spekulation. Da die Drehachse der Erde sich im Lauf der Zeit verlagert, scheint es, als wandere die Sonne langsam an den verschiedenen Sternbildern des Tierkreises vorbei, bis sie nach etwa 25800 irdischen Jahren zu ihrem Ausgangspunkt zurückgekommen ist. Dieses „Platonische Jahr" stellt für Astrologen eine übergeordnete zyklische Epoche dar, die alles Geschehen auf Erden bestimmen soll; teilt man sie gemäß den Tierkreiszeichen in zwölf Teile, so ergibt das mit ein bißchen Toleranz 2000 Jahre für jedes Zeichen. Entsprechend wurde nun die Geschichte des Universums in große Epochen aufgeteilt, unbeschadet dessen, daß die zwölf Tierkreisbilder nicht durch die Natur selbst vorgegeben, sondern eine Erfindung menschlicher Fantasie sind. Was jetzt gerade abgelaufen ist, sollen die zweitausend Jahre der Fische sein, die anfingen, als Christus auf Erden erschien (welch glücklicher Zufall, daß die Christen sich Fische zu ihrem Symbol erwählten!); jetzt aber kommt – nach einer unerfreulichen Zeit – die Epoche des Aquarius, des Wassermannes, und damit wird sich nun alles zum Besseren wenden, zum „New Age" der sanften, aquarianischen Verschwörung.

In der *Anthroposophie* stellen sich die Dinge ein wenig anders dar. Es sollen hier nicht die reichlich krausen Gedankengänge *R. Steiners* zum Ablauf der Geschichte referiert werden; nur einige Hinweise: Für Steiner gilt, „daß das, was geschehen soll, durch die Kräfte, die in der Welt liegen, geschehen wird"[20]. Gemeint sind damit zwar geistige Kräfte, aber sie gehen nicht vom Menschen aus, sondern manifestieren sich in einer die gesamte Natur umfassenden

[19] Ebd. 22.
[20] R. Steiner, Der Orient im Lichte des Okzidents, Taschenbuch 624 aus dem Gesamtwerk, Dornach 1977, 23.

Entwicklung. Da ist die Rede von verschiedenen Stadien der Erde, einem „lemurischen", chaotisch-unvollkommenen, und einem „atlantischen", in dem die Erde sich ordnete, nämlich unter dem Einfluß „geistiger Wesenheiten ihrer Umgebung"[21]. „Das alles aber entspricht großen kosmischen Gesetzen"[22]. Die Geschichte der Menschen ist nur Teil davon.

In diesem Punkte berühren sich Anthroposophie und New-Age-Denken, und Entsprechungen lassen sich auch bei *Teilhard de Chardin* finden. Für ihn ist ebenfalls Geschichte zunächst Geschichte des Kosmos. Sie beginnt mit einem ursprünglichen Weltstoff, der aber nicht nur leblose Materie ist, sondern eine geistige Innenseite hat, die allein es ermöglicht, daß er sich organisiert und immer höhere Formen hervorbringt, bis schließlich seine eigentlich geistige Natur am Ende einer äonenlangen Evolution klar hervortritt: im „Punkt Omega", dem Zustand vollendeter Geistigkeit: „Das Ende der Welt: entscheidender Augenblick für unsere Verwandlung und unser Emporsteigen, unsere Reife und unsere Befreiung."[23]

Für all diese Auffassungen ist *Geschichte* grundsätzlich ein kosmisches Geschehen, das eigenen Gesetzen folgt und eigenen Zielen zustrebt. Sie wird über den Rahmen menschlichen Handelns hinaus erweitert, beginnt schon in den Ordnungen der Natur und nimmt das im engeren Sinne Historische nur in sich auf, als sei der Mensch eine Episode im übergeordneten Ganzen universaler Prozesse. Besonders deutlich wird das, wenn es um die Interpretation eines so einschneidenden Ereignisses geht wie den Beginn des Christentums, genauer: das Auftreten Jesu Christi. So heißt es bei *R. Steiner*, Christus sei von einem kosmischen Gott zu einem irdischen Gott geworden: „Früher fand man Christus als kosmische Wesenheit . . . Der Christus zieht in die menschliche Seele ein, er wird zum planetarischen Erdengeiste, er wird immer mehr der mystische Christus in den Menschenseelen."[24] Und bei *Teilhard de*

[21] Ebd. 79.
[22] Ebd. 132.
[23] T. de Chardin, Der Mensch im Kosmos, München 1959, 284.
[24] R. Steiner, aaO., 126/127.

Chardin heißt es, Gott sei durch die Christusperson in die irdischen Dinge gleichsam „eingetaucht", er habe sich zum „Element" gemacht, indem er die „im Herzen der Materie" vorhandenen Stützpunkte zum Ansatz einer großen Evolution nutzte: „Durch eine immerwährende Aktion von Kommunion und Sublimation sammelt er die gesamte Seelenkraft der Erde in sich."[25]

Im New-Age-Denken sind die Äußerungen zu Christus und Christentum diffuser. Ohnehin ist Christliches für New-Age nur interessant, sofern es sich dem Mystischen nähert, doch auf dem Feld innerer Versenkung, meditativer Einstimmung auf die große Einheit aller Wesen kann der ferne Orient – Indien und China – offenbar mehr bieten als eine so abendländische Religion wie das Christentum. Das mystische Einssein des Universums, mag man es nun mit Brahman oder dem Tao in Verbindung bringen, ist nichts Geschichtliches; es wird nicht durch Handeln bestimmt. Es kann sich bestenfalls *entfalten*, die in ihm ruhende Ordnung hervortreten lassen, und dem Menschen bleibt dann nur, sich dieser Ordnung anzunähern, sie in sich aufzunehmen und sein Bewußtsein auf sie hin zu öffnen. „Bewußtseinserweiterung" ist denn auch das, was New-Age-Vertretern besonders am Herzen liegt. Bei *M. Ferguson* heißt so etwas „Transformation": ein Entdecken der „uns umgebenden unsichtbaren Gesetze und Kräfte".

All das wird mit dem Anspruch gesagt, ein neues Paradigma zu verkünden, nachdem die alten Denkmuster offenbar abgewirtschaftet haben. Doch so neu sind weder die Lehren Steiners, Chardins noch die aus dem Kreis von New Age. Sie haben Vorläufer, sehr alte sogar, nämlich bei den *Stoikern* aus der hellenistischen Welt der Antike.

Diese Welt bietet in manchen Zügen Parallelen zu unserer heutigen Situation. Das öffentliche Leben hatte seine Zentren in großen, turbulenten Städten gefunden, deren Ruhelosigkeit manchem empfindsamen Geist Unbehagen verursachte, so daß er Frieden und Erholung draußen auf dem Lande, in einer Art „Rückkehr zur Natur" suchte. Indiz dafür sind nicht nur die zahlreichen Villen und

[25] T. de Chardin, aaO., 290.

Landhäuser jener Zeit, sondern u.a. das Aufkommen einer bislang fehlenden Landschaftsmalerei mit ihrem Hang zum Bukolischen, Idyllischen. Die Natur wurde neu entdeckt, nicht in der Unbefangenheit, mit der Homer sie gesehen hatte, sondern in verfeinertem Raffinement; sie wurde zum neuen Hintergrund menschlicher Existenz und in enthusiastischer Weise gefeiert. Für die stoische Philosophie war sie „eine den ganzen Menschen zusammenhaltende oder auch das organische Leben auf Erden hervorrufende Kraft, ein innerer Zustand der Selbstbewegung und Entwicklung infolge ihrer samenhaltigen Geisteskraft"[26]. Die Macht der Natur beruht nämlich auf dem ihr eigenen „pneuma", dem psychisch-geistigen Wesen aller Dinge, das sich für die Stoiker im Feuer als Urelement darstellte, so daß auch alle Naturkräfte letztlich pneumatisch wirken mußten. Der Mensch wird nun zwar von diesem Pneuma getragen, aber er kann seinen kosmischen Boden vergessen, sich davon abtrennen und gleichsam in Unnatur verfallen; dann wird sein Denken „verkehrt" und vom Richtigen abgelenkt. Erst die Besinnung auf seine natürlichen Wurzeln gliedert den Menschen wieder ins Ganze der umgreifenden Ordnungen ein; er muß nur sehen, in Übereinstimmung mit der Physis des Alls zu leben.
Es ist hier nicht der Ort, die Lehren der Stoiker im einzelnen darzustellen, aber schon die wenigen Hinweise dürften genügen, um Parallelen zwischen dem stoischen Paradigma und heutigen Denkmustern festzustellen. Ausgangspunkt ist jeweils die Vorstellung von einer umfassenden Geist-Natur, die zwar in sich vielgestaltig sein mag, aber doch ein *hólon,* eine nicht zerteilbare Ganzheit bildet, und Endpunkt ist die Aussicht auf Geborgenheit des Menschen in diesem Ganzen: für den Stoiker, wenn er sich einfügt in die Ordnung des Kosmos, sich nicht gegen sie auflehnt; für den Anthroposophen, wenn er im Aufstieg zu „höheren Welten" sich den großen Harmonien des Universums öffnet; für den New-Age-Anhänger, wenn er lernt, im Teil das Ganze zu sehen und sich in dessen Netzwerke einzufügen. *M. Ferguson* verspricht dann mit der Epoche des Wassermanns die Zeit einer „wahren Befreiung des Gei-

[26] Diogenes Laertios VII, 148; v. Arnim II 328, 13. Vgl. auch H. Leisegang in der Realenz. d. klass. Altertumswiss., Artikel „Physis und Physik".

stes"; *Teilhard de Chardin* sieht für den „Geist der Erde" das Ende und die Erfüllung kommen, wenn der Mensch sich verwandelt und zum Punkt Omega aufsteigt („unsere Reife und unsere Befreiung"); bei *R. Steiner* öffnet ein „erhöhtes Wachsein" den Weg aus der Sinnenwelt hinauf zur „Vervollkommnung". Sie tritt ein, „wenn der Eingeweihte alle Kräfte, die ihm aus dieser Welt zugeflossen sind, auch aufgewendet hat im Dienste der Befreiung und Erlösung dieser Welt"[27], und das heißt: Er muß die sinnliche Welt als einen „Keimboden für eine höhere" verstehen, für eine übersinnliche, in der er dann seine eigentliche Wohnung nehmen kann.

In all solchen Formulierungen wird „Freiheit" als „Befreiung" gedacht, bezogen auf Prozesse, die in einem überindividuellen Geschehen die Welt im ganzen betreffen. Da mögen christliche Erlösungsvorstellungen anklingen, aber sie orientieren sich nicht am historisch Einmaligen einer Heilstat Gottes, sondern an Bildern universeller Weltharmonie, großer Synthesen, kosmischer Glückszustände, und darin kehrt doch die stoische Auffassung von „heiler Welt", „heiler Natur" zurück.

Wird nun das stoische Paradigma heute wieder aufgegriffen (meist ohne Kenntnis seiner historischen Herkunft), so geschieht das nicht ohne Risiko. Das 20. Jahrhundert steht unter anderen Vorzeichen als die hellenistische Welt, es hat andere Erfahrungen gemacht und eine Geschichte hinter sich, die neue Prämissen für die Gegenwart setzt. Man mag zwar, wie vor allem bei New Age, betonen, daß wir vor Problemen stehen, die uns *heute* bedrängen, und daß wir in Krisen stecken, die aus der Moderne selbst stammen, aber gerade dann wird es um so bedenklicher, wenn die Angebote für Auswege sich letztlich an weit Zurückliegendem orientieren. Und wenn die verkündeten Wandlungen (Transformationen!) sich aus Ideen vom großen Netzwerk der Welt, von kosmischer Ordnung und Ganzheit speisen, so überspringen sie gerade das, was konkret notwendig ist: direkte Schritte im Detail, in einzelnen Situationen vor Ort zu tun, sei es im gesellschaftlichen, politischen, im technologischen, ökonomischen oder ökologischen Feld. Um es auf den

[27] R. Steiner, Wie erlangt man Erkenntnisse der höheren Welten? Taschenbuch 600 aus dem Gesamtwerk, Dornach 1984, 151.

Begriff der Freiheit zu beziehen: Da geht es gerade *nicht* um die Welt im ganzen, um Überwindung ihrer sinnlichen Gestalt, um Vergeistigung, um Eindringen in die Tiefe aller Wesen, sondern um die schlichte Forderung konkreter Menschen in konkreten Situationen nach Selbstbestimmung, nach Freiheit von politischem, wirtschaftlichem oder sozialem Druck, nach Chancen für individuelle Lebensgestaltung, unbehinderter Meinungsäußerung usw. Die Ereignisse im Ostblock sind gewiß keine mystischen Transformationen, sondern völlig reale, handgreifliche Vorgänge von unmittelbarer historischer Relevanz.

Genau diese Relevanz wird jedoch in Frage gestellt oder gar aufgehoben, wenn das Geschichtliche selbst in den Hintergrund tritt zugunsten metaphysischer Spekulationen über das Ganze des Seins, des Universums, höherer Welten usw. Dann gilt wohl, was *Jean-Francois Lyotard* feststellt: Die Zeit der großen Weltbilder, der „Meta-Erzählungen", ist vorbei; holistische Denkansätze kranken daran, daß sie die Pluralität des Geschichtlichen entweder nicht ernst nehmen oder gar nicht erst zulassen. Sie erzählen, wie alles sich gestaltet und entfaltet hat, aber sie verstehen kosmische Prozesse nach dem Muster von Naturvorgängen und übersehen, daß das Geschichtliche etwas anderes ist als ein kosmischer Reigen. (Anzumerken wäre, daß dabei die sehr vielschichtigen Aspekte des Zeitproblems[28] einfach weggelassen werden zugunsten einer Trivialvorstellung, die sich an Wilhelm Busch hält: „Eins, zwei, drei, im Sauseschritt – läuft die Zeit, wir laufen mit".)

Geschichte ist keine Variante von Naturgeschehen: Sonst wäre sogar das Herunterfallen eines Blattes vom Baum ein historisches Ereignis! Gewiß können Naturvorgänge historisch bedeutsam sein, etwa das Erdbeben von Lissabon (1755), aber das ist die Ausnahme. In der Regel hat das Naturgeschehen nichts Historisches an sich; es verläuft nach den der Natur immanenten Gesetzen und kümmert sich nicht um das, was Menschen denken, wollen oder tun. Dagegen wird menschliche Geschichte – und hier läßt sich an

[28] Zum Zeitproblem vgl. u.a.: S.W. Hawking, Eine kurze Geschichte der Zeit, Reinbek bei Hamburg 1988; J.T. Fraser, Die Zeit: Vertraut und fremd, Basel/Boston/Berlin 1988; M. Heidegger, Sein und Zeit, Halle ^{5}1941.

Dilthey anknüpfen – durch ganz andere Strukturzusammenhänge konstituiert. Man kann wohl schwerlich fragen, welche *Bedeutung* es für den Planeten Venus habe, von der Sonne angezogen zu werden. Aber historische Geschehnisse werden „historisch" überhaupt erst durch das, was sie an Bedeutsamheit für die Welt handelnder Individuen hervorbringen; das geschichtliche *Handeln* ist hier die übergeordnete Kategorie, und handeln kann – sich verantwortlich entscheidend – nur der Mensch als historisches Wesen: nicht ein zerstrahlendes Atom, nicht einmal ein Tier. Wird der Mensch einfach in das Naturgeschehen integriert, wie z.B. in Evolutionstheorien, so mag das biologisch seine Richtigkeit haben, aber anthropologisch fällt dann die entscheidende Dimension der *condition humaine* unter den Tisch. Ein radioaktives Teilchen, das plötzlich zerfällt, *entscheidet* sich nicht für diesen Zerfall; das Atom trifft keine Wahl. Menschliche Entscheidungen aber setzen *Freiheit* voraus, müssen verantwortet werden und bedeuten etwas im kommunikativen Feld einer Gemeinschaft. Daß Geschichte und Naturgeschehen zeitlich sind, mag zwar eine gewisse Ähnlichkeit suggerieren, aber nimmt man äußerliche Analogien gar zu wörtlich, so entstehen Begriffsverwechslungen, die zur Folge haben können, daß wesentliche Unterschiede übersehen werden und an die Stelle historischen Denkens die Meta-Erzählungen treten, in denen das große Ganze sich über alles wie eine Sahnehaube legt.

Wenn also in Strömungen wie der Anthroposophie, New Age und Verwandtem Geschichten vom Universum, von kosmischen Rhythmen und Harmonien angeboten werden, wenn man verlangt, Mensch und Natur müßten wieder in Einklang kommen, so leiden all diese Fiktionen unter einem befremdlichen Mangel an historischem Sinn. Sie hypostasieren ihre holistischen Ideen zu einem Bild der Welt, des An-sich-Seins, das schließlich Gefahr läuft, monolithisch zu erstarren und nichts anderes neben sich zu dulden. Auf diesen Punkt wird im übernächsten Absatz zurückzukommen sein.

b) Kosmische Energien: mißverstandene Geistigkeit. Zuvor jedoch soll ein Denkmuster wenigstens angesprochen werden, das in all den oben genannten Strömungen sein Unwesen treibt und immer wieder dazu verführt, die Sache des Denkens in einen seltsamen Physikalismus münden zu lassen. Gemeint ist das Reden von „kosmischen Energien", die dem Geist oder der Seele zuströmen, sie wie ein Nährstoff durchfluten und erleuchten. *Fritjof Capra* hat einmal ein entsprechendes Erlebnis geschildert und ist seitdem oft zitiert worden. In einer stillen Stunde am Strand überkam es ihn; er beobachtete den Rhythmus der Wellen und seines eigenen Atmens, und plötzlich erschien ihm die ganze Welt wie ein großer kosmischer Tanz:

„Ich ‚sah' förmlich, wie sich aus dem Weltraum Kaskaden von Energie ergossen, in denen in einem rhythmischen Impuls Teilchen erzeugt und zerstört wurden. Ich ‚sah', wie sich die Atome der Elemente und jene meines Körpers in diesem kosmischen Tanz der Energien beteiligten; ich fühlte dessen Rhythmus, und ich ‚hörte' dessen Klang, und in diesem Augenblick *wußte* ich, daß dies der Tanz Shivas war ..."[29]

Der Punkt, der dieses Zitat so merkwürdig macht, liegt in der Vorstellung von „kosmischen Energien", an deren rhythmischem Gewoge Capra teilzuhaben glaubte. Was das für Energien sind, bleibt in dem Zitat offen; ihr Charakter schwankt zwischen physikalischen und spirituellen Aspekten. Und es ist wohl kein Zufall, wenn ähnliche Ausdrucksweisen sich auch bei anderen Aposteln des New Age finden. So schreibt Renée Weber über die Ideen eines anderen Physikers, *David Bohm*, in gleicher Weise: Das Geistige *(Noumenon)*, das den Kosmos erfüllt, kann unter bestimmten Umständen erfaßt werden, nämlich durch eine Fähigkeit im Universum (nicht in uns!), die es der „universalen Kraft" ermöglicht, ungehindert durch das Bewußtsein eines empfänglichen Menschen hindurchzuströmen:

„Sie verwandelt uns in ein rezeptives Instrument, das es der noumenalen Intelligenz erlaubt, durch uns hindurch tätig zu werden und unser Alltagsleben und das anderer zu erhellen. Der dabei wirksame spezifische Mechanismus ist schwer zu verstehen. Vielleicht

[29] Zitiert bei M. Ferguson, aaO., 432.

werden wir dabei Elektro-‚Transformatoren' ähnlich, die imstande sind, die phantastische kosmische Energie so weit herunterzuspannen, daß wir sie auf die mikroskopische Ebene konzentrieren können, auf der wir leben und handeln."[30]

Der Physikalismus solcher Vorstellungen liegt auf der Hand. Aber die „kosmischen Energien" bewirken im Menschen gar nichts Physikalisches, sondern verwandeln ihn zu einem besseren Wesen: „Ein solches menschliches Wesen strahlt Klarheit, Intelligenz, Ordnung und Liebe allein durch seine Anwesenheit aus. Es scheint befähigt, unsere chaotische interpersonale Welt alleine durch die es umgebende *Atmosphäre* in einen ethischen Bereich umzuwandeln. Dies ist eine Atmosphäre, die unzweifelhaft mit Energien aufgeladen ist, für die wir weder Namen noch Begriffe haben. Bestenfalls können wir die Anwesenheit und Kraft dieser Atmosphäre sehr ungenau in metaphorische und annähernde Begriffe fassen" (ebd.).

Daß mit der Vorsicht des Schlußsatzes eine Immunisierungsstrategie eingeleitet wird, kommt im folgenden Abschnitt (4.c) zur Sprache. Hier erhebt sich zunächst nur die Frage, wie denn die physikalische Ausdrucksweise („... mit Energie aufgeladen") sich mit Begriffen der menschlichen Lebenswelt vertragen soll, denn man kann nicht ohne weiteres davon ausgehen, daß menschlich-ethische Dispositionen einen physikalischen Hintergrund haben. Natürlich läßt sich sagen, Liebe äußere sich u.a. körperlich und sei insofern auch eine physikochemische Angelegenheit. Aber das haben weder Bohm noch Weber so gesehen. Sie meinen Liebe im vollen Sinne des Wortes, nicht nur sexuelle Erregung. Doch dann muß man fragen dürfen, wie es die kosmische Energie mit ihrem physikalischen Ambiente anstellt, Liebe zu erwecken.

Vielleicht so, wie sich das ein Hamburger Esoteriker vorstellte: Dem erschienen die Partikel der Staubwolke von Tschernobyl als „heimatlose Atome, die sehr, sehr viel Liebe brauchen"; folglich müsse man über ihre Radioaktivität meditieren, um ihnen zu helfen und sie wieder zu braven, gutartigen Teilchen zu machen. M. Ferguson hat die Physik auf andere Weise spiritualisiert und dabei

[30] D. Bohm, u.a., aaO., 44.

die Schwerkraft aufgehoben, nämlich mit der hübschen Idee, daß Engel fliegen können, weil sie sich leicht nehmen!
Aber so neu ist das nicht. In der *Anthroposophie* finden sich ähnliche Gedanken; auch da erscheint das Geistige materiell und wird das Materielle vergeistigt. So heißt es bei Steiner: „Wie ein Stück Eis, das auf dem Wasser schwimmt, Stoff ist des umgebenden Wassers, aber sich durch gewisse Eigenschaften von diesem abhebt, so sind die Sinnendinge Stoff der sie umgebenden Seelen- und Geisterwelt; und sie heben sich von diesen durch gewisse Eigenschaften ab, die sie sinnlich wahrnehmbar machen. Sie sind – halb bildlich gesprochen – verdichtete Geist- und Seelengebilde; und die Verdichtung bewirkt, daß die Sinne sich von ihnen Kenntnis verschaffen können."[31]
Den Boden für all die absonderlichen Vermischungen von Physischem und Spirituellem, von Geist und Materie, hatte vor mehr als anderthalb Jahrhunderten die romantische Naturphilosophie gelegt, in erster Linie der Systementwurf *Schellings.* Von dort aus führten die oft recht verschlungenen geistigen Pfade weiter in die Popularphilosophie und endeten bei Theosophen, Anthroposophen und anderen Mystikern. Der Energiebegriff leistete dabei schöne Hilfe, nachdem er in die Fachsprache der Naturwissenschaften gelangt war (vor allem durch W. J. M. Rankine, 1852). In der Physik aber hat er einen präzisen Sinn: Energie ist die Fähigkeit, Arbeit zu leisten und kann in verschiedenen Formen auftreten, z.B. als mechanische Energie, als Wärmeenergie, als elektrische, magnetische Energie usw. Stets gibt es Umrechnungsäquivalente, wenn man von einer Energieform zur anderen übergeht, und genau da liegt der Punkt, an dem die Sprache selbst so professioneller Physiker wie Capra und Bohm verschwommen wird. Wenn sie von „geistigen Energien" reden, müßten sie angeben können, wie deren Quantität zu bestimmen und in andere Energieformen umzurechnen wäre. Aber da findet sich bei ihnen nichts, und das kann wohl auch nicht anders sein. Gäbe es Äquivalenzbeziehungen für Energien, die nicht im engeren Sinne physikalischer Natur sind, dann dürfte die gewiß stattliche Menge krimineller Energie, die

[31] R. Steiner, Theosophie, Taschenbuch 615 aus dem Gesamtwerk, Dornach 1983, 114.

sich in unseren Sozial- und Wirtschaftssystemen findet, ausreichen, alle Energieprobleme dieser Welt zu lösen!
Es wäre also nur redlich, wenn man das Gerede von kosmisch-geistigen Energien, die dem Menschen aus dem All zuströmen oder die durch seine Gedanken bewegt werden, ließe und sich auf eine bescheidenere Sprache beschränken wollte. Sonst öffnen sich dem Unsinn Tür und Tor. Um dafür ein abschließendes Beispiel zu geben: Vor einigen Jahren erschien in der Zeitschrift „Esotera" der Artikel eines Autors, der die fünfte Naturkraft entdeckt haben wollte. Nach dem heutigen Stand der Physik wirken im Universum vier Grundkräfte: die Gravitation, die elektromagnetische Kraft, die starke und die schwache Wechselwirkung (letztere im Inneren der Atome). Besagter Autor hatte sich nun einen kleinen Papierstern zurechtgeschnitten und auf der Spitze einer Stecknadel so ausbalanciert, daß er sich leicht bewegen konnte. Dann hielt er seine Hände seitlich um diesen kleinen Apparat, konzentrierte sich, und alsbald begann sich der Papierstern zu drehen: „Ich halte den Atem an, um den Streifen nicht durch einen Lufthauch zu bewegen. Es dauert etwas, bis ich spüre, daß etwas in die Hand verströmt, die Hand und die Finger zu füllen scheint. Nein, es ist nicht wie beim autogenen Training die bewußte Steuerung des Blutkreislaufs. Es ist – ein Ziehen, leichtes Strömen, eine leichte Spannung unter der Haut der Fingerenden, ein leicht pelziges Gefühl der Fülle zu spüren. In dem Augenblick, da ich den Wunsch verspüre, einem Menschen Trost und Segen, Heilung zu spenden, stellt sich dieses Strömen und Gefühl der Fülle fast von selbst ein . . . Gegen einen dunklen Untergrund glaube ich bei schwachem indirekten Licht etwas wie einen leichten, grauen Schimmer um die Finger sehen zu können. Wenn ich mir mehrmals magnetisierend über die Arme streiche, zieht es sich wie Fäden zwischen den Fingern auseinander, wenn sich die Hände voneinander entfernen . . . Wiederholungen des Versuchs am gleichen Tage bringen schwächere Ergebnisse, die Kraft erschöpft sich schneller, ein Gefühl des Ausgelaugtseins nimmt mir die Lust zum Weitermachen . . ."[32]

[32] Esotera 35. Jg., Heft 11/1984, 1025ff.

Kurz: Da ist also ein geistiges Kraftfeld, medial gebündelte Energie nachgewiesen – eine neue, die „fünfte“ Naturkraft! Daß man den gleichen Effekt auch mit etwas erwärmten Gegenständen unterhalb des Papiersterns erreichen kann, daß da die gleiche Wirkung eintritt wie bei sich in heißer Kerzenluft drehenden Adventspyramiden, kommt dem Autor gar nicht erst in den Sinn. Man könnte ihm seine Einfalt nachsehen, aber daß die Redaktion einer angeblich „wissenschaftlichen“ Zeitschrift das alles ernst nimmt und abdruckt, ist unverantwortlich. Der Umschlag von Anthroposophie, New-Age und Verwandtem in Esoterik entläßt die Vernunft aus ihrer Verpflichtung, kritisch zu denken, denn das Esoterische ist für sie ohnehin unerreichbar; da wird Platz gemacht für Irrationalismen aller Art, und Einwände werden beiseitegeschoben, weil sie das schöne Gefühl, mit „höheren Welten“ in Verbindung zu stehen, nur trüben würden. Welches Maß an Selbstbetrug dabei eine Rolle spielt, zeigt die Bemerkung des obigen Esoterikers, er habe bei seinem Experiment gespürt, wie sich die kosmische Energie in seinen Fingern konzentriert und dort das gleiche Gefühl erzeugt, das sich einstellt, wenn er seine Hand auf das Haupt eines geliebten Menschen legt!

c) Selbstimmunisierung des Irrationalen. Für alle Experimentalwissenschaften gilt grundsätzlich, daß ihre Aussagen *falsifizierbar* sein müssen, d.h. es muß möglich sein, eine wissenschaftlich geäußerte Behauptung zu widerlegen, wenn denn die Fakten gegen sie sprechen. Dieser Anspruch mag sich zwar nicht immer erfüllen lassen, aber das tut seiner prinzipiellen Geltung keinen Abbruch. Bei rein theoretischen Wissenschaften (z.B. der Mathematik) sehen die Dinge etwas anders aus, aber auch ein Mathematiker wird sich nicht nehmen lassen, neu auftretende Theorien in seinem Fachgebiet kritisch zu prüfen, ihre Deduzierbarkeit und bei jedem Lehrsatz einen *Beweis* zu verlangen. In Bereichen wie denen der Philosophie, der Theologie und ähnlichen sieht es zwar wieder anders aus: Da kann man weder mit empirischen Methoden noch mit Beweisen rechnen, aber zumindest doch mit sachlicher *Argumentation,* die kritisches Denken voraussetzt.

In dieser Hinsicht gehen nun New Age, Anthroposophie und Verwandtes eigene Wege. Sie schließen zwar das kritische Argumentieren keineswegs aus, aber sie setzen ihm Schranken, die zunächst durch das *besondere Reden* in diesen Bereichen entstehen. Um gleich ein bezeichnendes Beispiel zu nennen: Oben wurde eine Äußerung von *R. Weber* zitiert, nach der *Bohm* von der Auswirkung kosmischer Energien im Menschen gesagt hat, für solche Energien besäßen wir „weder Namen noch Begriffe"; bestenfalls könnten wir sie „sehr ungenau in metaphorische und annähernde Begriffe fassen". Offen bleibt dabei, wie man von etwas reden kann, wovon man weder Namen und Begriffe besitzt; *Wittgenstein* hat am Schluß seines „Tractatus" gesagt: „Wovon man nicht sprechen kann, darüber muß man schweigen."[33] Dazu sind aber „Ganzheitsdenker" selten bereit. Stattdessen flüchten sie sich in das *metaphorische Reden* und füllen damit umfangreiche Bücher. So auch *R. Steiner.* Für ihn sind die Sinnendinge – *„halb bildlich gesprochen"* – verdichtete Geist- und Seelengebilde (s. o.). Was das sein soll, ein halb bildliches Sprechen, bleibt allerdings offen.
Nun bietet das bildhafte Sprechen – ob ganz oder halb, ob ohne Begriffe oder mit Metaphern – einen wunderbaren Schutz vor kritischen Einwänden. Man kann sich nämlich immer herausreden: Man habe das, was man eben behauptete, so wörtlich ja gar nicht gemeint. Um ein weiteres Beispiel aus Steiners Anthroposophie zu nennen: Er beschreibt gern die eigenartigen Farbphänomene, die mit der „Aura" von Gegenständen und Menschen verbunden sind. Da soll z. B. bei genügend konzentriertem Hinsehen sich um ein kleines Samenkorn eine Lichtwolke bilden, in der Mitte lila, am Rande bläulich, aber Steiner schränkt diese Behauptung sogleich ein, denn die Farben sind für ihn nicht optische Wahrnehmungen:
„Es muß ausdrücklich betont werden, daß man, was hier als ‚Farben' bezeichnet wird, *nicht* so sieht, wie physische Augen die Farben sehen, sondern daß man durch die *geistige* Wahrnehmung Ähnliches empfindet, wie wenn man einen physischen Farbeindruck

[33] L. Wittgenstein, Tractatus logico-philosophicus, Abs. 7.

hat. Geistig ‚blau' wahrnehmen heißt etwas empfinden oder erfühlen, was ähnlich dem ist, was man empfindet, wenn der Blick des physischen Auges auf der Farbe ‚Blau' ruht. Dies muß berücksichtigen, wer allmählich wirklich zu geistigen Wahrnehmungen aufsteigen will ...“[34]

Der Trick liegt also darin, eine direkte Aussage sogleich wieder zurückzunehmen und in eine metaphorische umzuwandeln, so daß der Kritiker nicht mit dem empirischen Argument kommen kann, er sähe nichts. Doch die Sache geht noch weiter. Hat nun der Kritiker auch keine „geistigen“ Farbeindrücke, ist dann Steiner widerlegt? Mitnichten. So einfach läßt er seine Behauptungen nicht falsifizieren. Denn nun kommt eine neue Strategie, Einwände abzuwehren: das *Inkompetenz-Argument!*

Wer die geistigen Wahrnehmungen nicht nachvollziehen kann, ist offenbar in seiner inneren Entwicklung noch nicht so weit gediehen, daß sich ihm die erforderlichen inneren Augen öffnen; er ist noch kein „Geheimschüler“ geworden, sondern verharrt in der mehr oder weniger bornierten Haltung eines simplen Alltagsmenschen. Für das, was Steiner gesehen hat, „muß man eben einen Sinn haben“[35].

Nun ist gewiß richtig, daß jemand, der nicht rechnen gelernt hat, den Lösungsweg mathematischer Aufgaben schwerlich verstehen kann. Und wer nicht lesen kann, dem bleiben Bücher mit sieben Siegeln verschlossen. Aber andererseits kann man rechnen und lesen *lernen*, und wer dann zwei und zwei zu vier addiert, tut das auf allgemeingültige Weise, so wie ein Buch, von verschiedenen Menschen gelesen, für alle den gleichen Text bietet. Entsprechend in den Wissenschaften: Ihre Aussagen werden erst dann als „wissenschaftlich“ akzeptiert, wenn sie allgemein nachprüfbar sind, d.h. wenn erstens ihre Voraussetzungen klar definiert sind und zweitens die Möglichkeit der Wiederholung besteht. Für ein Experiment muß der Forscher, der seine Ergebnisse veröffentlicht, genau ange-

[34] R. Steiner, Wie erlangt man Erkenntnis der höheren Welten? Taschenbuch 600, 47.

[35] R. Steiner, Die Wirklichkeit der höheren Welten, Taschenbuch 633 aus dem Gesamtwerk, Dornach 1981, 75.

ben, unter welchen Umständen er es unternommen hat, und jeder Kollege muß danach in der Lage sein, genau das gleiche Experiment zu reproduzieren.

Im Falle mystischer Erlebnisse ist diese Reproduzierbarkeit nicht gegeben. Die Forderung, man müsse erst den rechten Sinn für transnormales Erleben haben, sich in die richtige Stimmung versetzen, sein geistiges Auge öffnen und was dergleichen mehr ist, enthält immer schon das Inkompetenz-Argument gegenüber von außen kommender Kritik. Außerdem läßt es sich leicht mit metaphorischem Reden verschmelzen, um der Notwendigkeit zu entgehen, klare, eindeutige Voraussetzungen für das anzugeben, was im jeweiligen Erlebnis eigentlich erlebt werden soll. Im ganzen entsteht so eine *Immunisierungsstrategie*, die gegen alles gewappnet ist, die aber zugleich das Feld wissenschaftlicher Vernunft verläßt und dem unkontrollierten *Wuchern des Irrationalen* Tür und Tor öffnet.

An zwei Beispielen, die allerdings zentrale Punkte betreffen, soll das erläutert werden. Zunächst geht es dabei um das Problem der *Erfahrung*, sodann um das der *Ganzheit*.

1. Im Sammelband „Das holographische Weltbild" wird ein Gespräch zwischen *Renée Weber* und *David Bohm* abgedruckt, das um Bohms Begriff der Ganzheit kreist (übrigens hat sich Bohm dabei zu den fernöstlichen Lehren des „Philosophen" *Krishnamurti* bekannt):

W: „Und Krishnamurti spricht auch vom ‚totalen Hinhören'. Ich nehme an, er meint damit totales Hinhören auf diese Ganzheit oder diese Leere/Fülle, jedoch nicht auf die kleinen Dinge an der Oberfläche?

B: Nun, auch auf die Oberfläche. Hinhören auf alles. Das Hinhören wird dadurch gestört, daß das Denken sehr schnell mit einem Wort und allen seinen Assoziationen dazwischenspringt, was dann so schnell geht, daß das Denken das für unmittelbare Wahrnehmung hält ..."[36]

Dieses „Wahrnehmen ohne Denken", das aus einer Situation geistiger Leere, die zugleich Fülle sein soll, die Ganzheit des Kosmos auf-

[36] D. Bohm, u.a., aaO., 108.

nimmt, wird in fast gleicher Weise wie bei Bohm bzw. Krishnamurti auch von dem zeitweise vielgerühmten *Carlos Castaneda* bemüht. In seinen angeblich authentischen Gesprächen mit dem mexikanischen Schamanen *Don Juan* geht es allerdings nicht um das Hören, sondern um das Sehen, aber auch mit einem Totalitätsanspruch, der Krishnamurti nicht nachsteht:

„Wenn ein Mann *sehen* lernt, erkennt er, daß er nicht länger über die Dinge nachdenken kann, die er anschaut, und wenn er erkennt, daß er über das, was er sieht, nicht mehr nachdenken kann, dann wird alles unwichtig ... *Sehen* ist etwas für makellose Menschen. Mäßige deinen Geist, werde ein Krieger, lerne *sehen,* und dann wirst du die Endlosigkeit der neuen Welten unserer Vision erkennen."[37]

Diese Auffassung vom „Sehen" findet sich nicht nur bei Castaneda. Sie gehört offenbar zum Repertoire vieler mystisch orientierter Weisheitslehren, vor allem im Fernen Osten, aber auch in der europäischen Mystik (z.B. bei Meister Eckhart).

Der Zen-Buddhist *D. T. Suzuki* hat das gegenübergestellt und im Sinne einer Konvergenz mystischer Erfahrungen interpretiert.[38] Im Hinblick auf Buddha meint er, Wahrheit könne nicht allein durch die Betätigung rein intellektueller Fähigkeiten, also mit dem Kopf, erreicht werden, sondern erstehe erst für eine besondere Art des „Blickes":

„Ich möchte dieses Bild vom ‚Blick' für die Wahrheit, vom ‚Sehen' der Wahrheit ausdrücklich betonen. Es genügt nicht, zu ‚wissen', wie man dieses Sehen gewöhnlich versteht. Wissen ist oberflächlich, solange es sich nicht mit persönlichen Erfahrungen verbindet – und keine Philosophie kann auf solch unsicherem Grund errichtet werden ... Über welches Wissen der Philosoph auch immer verfügen mag, es muß seiner Erfahrung entstammen – und Erfahrung heißt ‚sehen'."[39]

[37] C. Castaneda, Eine andere Wirklichkeit. Fischer-TB 1616, Frankfurt 1973, 71 u. 131.
[38] D. T. Suzuki, Der westliche und der östliche Weg, Ullstein-TB 35059, Frankfurt 1982.
[39] Ebd. 42.

Sehen (in diesem übertragenen Sinne) bildet also die Grundlage des Wissens, und für Suzuki erfolgt es auf intuitive Weise, „mit dem Auge der *prajna*-Intuition“[40]. Es handelt sich bei solchem Sehen um eine „Erleuchtungs-Erfahrung“[41], in der die vom Intellekt vorgenommenen Zerteilungen der Wirklichkeit wieder aufgehoben werden. *Erfahrung* ist – nach dem Sprachgebrauch solcher Mystik – mehr als die Verarbeitung sinnlicher Wahrnehmungen: Sie ist ein inneres Erleben *ganzheitlicher* Art.

Wie so etwas zu *denken* ist, mag für die meditativ eingestimmte Bewußtseinsart des Ostens unproblematisch sein. Abendländische Mystiker haben zwar auch gern von Erleuchtungserlebnissen gesprochen, aber sich selten die Mühe gemacht, genau zu sagen, was denn da geschieht. Meist bleibt es bei einer blumigen Bildersprache: Vom „Seelengrund“ ist die Rede, von einer „Kraft der Seele“, vom „Licht in der Seele“, von ihrem Leerwerden und ihrem Erfülltwerden; der Rest ist Theologie.

Anregend mag so etwas sein, vielleicht auch erregend, nur muß man sich bei aller Wertschätzung solcher Mystik darüber im klaren sein, daß sie *vor* der Entwicklung expliziter Erkenntnistheorie (etwa im Sinne von Transzendentalphilosophie) liegt. Mindestens seit *Kant* sind die Maßstäbe gestiegen, kritisches Denken will es genau wissen, zum Beispiel das, was *Erfahrung* ist und ausmacht.

Erfahrung hat nach Kant ihren Stoff in *Erscheinungen*, und „Erscheinung“ nennt Kant das, „was der Empfindung korrespondiert“, nämlich als ihr Inhalt, während die Form der Empfindung a priori „im Gemüte“ bereit liegt.[42] Empfindungen wiederum entstehen durch die Sinne, so daß also die Erfahrung immer Sinneseindrücke voraussetzt, mögen sie dann auch durch den Verstand und seine Kategorien in die Form von gegenständlichen Vorstellungen gebracht werden. *Erfahrung außerhalb der Sinnlichkeit ist demnach unmöglich*, und an diesem Erfahrungsbegriff haben die empirischen Wissenschaften bis heute festgehalten.

[40] Ebd. 46.
[41] Ebd. 47.
[42] I. Kant, Kritik der reinen Vernunft; Transzendentale Ästhetik § 1.

Nun gibt es für Kant neben der äußeren, d.h. auf Sinnlichkeit bezogenen, durchaus auch eine *innere Erfahrung* als „Wahrnehmung seiner selbst"[43]. Sie entspricht dem kartesianischen Selbstbewußtsein des *ego cogito*, aber nicht nur abstrakt im Sinne eines reinen Ich-Begriffs, sondern durchaus empirisch als „Bewußtsein meines Daseins in der Zeit". Allerdings betont Kant ausdrücklich, ein solches Bewußtsein könne nicht anders als „durch Beziehung auf etwas, was, mit meiner Existenz verbunden, außer mir ist", bestimmbar sein[44], d.h. die innere Erfahrung setzt äußere, sinnliche Erfahrung voraus. Innere Erfahrungen sind demnach keine übersinnlich-mystischen Erlebnisse, sondern halten sich an den Rahmen dessen, was der Verstand auf dem Boden der Sinnlichkeit ausmacht; „so, daß folglich innere Erfahrung selbst nur mittelbar und nur durch äußere möglich ist"[45]. Wird das übersehen, so führt der mystische Überschwang – wie Kant in bezug auf Swedenborg sagt – „zu einem Illuminatism innerer Offenbarungen, deren ein jeder alsdenn seine eigene hat und kein öffentlicher Probierstein der Wahrheit mehr Statt findet"[46]. Herauskommt ein „vernunfttötender Mystizism".

Natürlich läßt sich jetzt einwenden, daß Kant nicht der Weisheit letzter Schluß ist, daß die Philosophie (und manches noch) über ihn hinausgegangen sei und man weiterdenken müsse. Wohl wahr, aber genausowenig, wie man bei ihm stehenbleiben darf, darf man hinter ihn zurückfallen und so tun, als habe es sein kritisches Denken nie gegeben. All die in diesem Abschnitt genannten Strömungen, ob nun Anthroposophie oder New Age, zeigen jedoch in erkenntnistheoretischer Hinsicht fatale Defizite, so daß man häufig den Eindruck gewinnt, da mache man sich gar nicht die Mühe, Kant ernstlich zu lesen oder sich gar mit ihm auseinanderzusetzen.

Doch was ist mit Versuchen, über ihn hinauszugehen? Sie finden sich in der Tat bei *Hegel* und – was hier besonders wichtig ist – bei

[43] Ebd. A 343.
[44] Ebd. B XL.
[45] Ebd. B 277.
[46] I. Kant, Der Streit der Fakultäten, A 66, Werkausgabe Weischedel, Bd. XI, 312.

Schelling. Letzterer hatte den kantischen Begriff der Erfahrung nicht hinnehmen, sondern erweitern wollen, um auch das Mystische philosophisch zu rehabilitieren. In seiner „Philosophie der Offenbarung" von 1841/42[47], also einem Spätwerk aus Schellings Berliner Zeit, unterschied er zwei Arten von Philosophie. Die „negative" ist für ihn die, in der der „höchste Gegenstand" als unerkennbarer stehenbleibt, in der also das Philosophieren sich eine Grenze setzt: „Darin aber hat sie ihr Ende gefunden."[48] Das war gegen Kant gesagt. Die „positive" Philosophie dagegen geht über diese Grenze hinaus und sucht auch im scheinbar Unerkennbaren ihren Boden. Ihr Problem ist die Frage, wie sich das „Überseiende" des Absoluten in die Welt verwandelt, wie es sich verwirklicht und auch dem Menschen eine „Ahnung" seines „unvordenklichen Seins" ermöglicht. Da muß es eine besondere Art von Erfahrung geben, die mehr ist als das, was Kant unter „Erfahrung" verstanden hatte, eine Erfahrung des Übersinnlichen, und Schelling nannte die entsprechende Erfahrungsphilosophie – also seine eigene – „metaphysischen Empirismus": „Es gibt einen Empirismus, der nicht alle allgemeinen Begriffe bestreitet und sich nicht auf das Sinnenfällige beschränkt."[49]

Was Schelling sich demnach vorgenommen hatte, war, die traditionelle Mystik auf eine wissenschaftliche Grundlage zu stellen: ein Projekt, das heute wieder fröhliche Urständ feiert. Die „positive Philosophie" sollte für Schelling nicht nur über den bisherigen Begriff von Erfahrung hinausgehen, sondern auch über das rationale Denken (also über die kartesianische Methode), und etwas betreffen, was *„dem Denken wie der Erfahrung zuvorkommt"*[50].

Das war ein hoher Anspruch. Schelling hielt seine Vorlesungen seinerzeit in Berlin; er war nach dem Tode Hegels an die dortige Universität berufen worden, und zu seinen Vorträgen strömte alles, was Rang und Namen hatte. Die Erwartungen waren hochgespannt, aber alsbald ließ das Interesse nach. Was Schelling über Mythen

[47] Neuausgabe bei Suhrkamp, stw 181, Frankfurt 1977.
[48] Ebd. 119.
[49] Ebd. 145.
[50] Ebd. 146.

und Offenbarung vortrug, verwirrte sich in unverständliche Begrifflichkeiten, der Hörsaal leerte sich, und im Juni 1842 notierte der junge Jacob Burckhardt:
„Schelling ist Gnostiker im eigentlichen Sinne des Wortes, so gut wie Basilides. Daher das Unheimliche, Monströse, Gestaltlose in diesen Teilen seiner Lehre. Ich dachte jeden Augenblick, es müsse irgendein Ungetüm von asiatischem Gott auf zwölf Beinen dahergewatschelt kommen und sich mit zwölf Armen sechs Hüte von sechs Köpfen nehmen. Es wird selbst den Berliner Studenten nach und nach unmöglich werden, diese furchtbare, halbsinnl. Anschauungs- und Ausdrucksweise auszuhalten."[51]
Immerhin hatte Schelling wenigstens versucht, auf dem Hintergrund und mit Kenntnis der bis dahin saubersten, klarsten Analyse von Erfahrung (eben der kantischen) über den Erfahrungsbegriff Kants hinauszugehen. Sein Scheitern war jedoch kaum zu vermeiden, denn die Begrifflichkeit seiner „positiven Philosophie" beschränkte sich darauf, bereits vorhandene Begriffe durch Negationen verschiedenster Art scheinbar zu übertrumpfen („unvordenklich", „überexistierend", das „Nicht-nicht-Seiende" usw.). Aber man kann aus der Ebene eines philosophischen Ansatzes nicht dadurch herauskommen, daß man alle dort vorgenommenen Bestimmungen mit einem „Un-" versieht und ansonsten beibehält. Auch ein umgekehrter Spieß ist immer noch ein Spieß. Und wenn sich Schelling auf Ahnungen, Gefühle und dergleichen zurückzog, so verließ er damit zugleich auch den Bereich der Wirklichkeitserkenntnis. Gefühle mögen erhebend oder beglückend sein, vor allem das Gefühl, Kontakt zu einem höheren Sein, zum Ganzen des Universums, zu kosmischen Energien zu haben. Aber Gefühle bleiben Privatsache des einzelnen und lassen sich nicht verallgemeinern. Kein noch so starkes Gefühl kann andere dazu zwingen, das Gefühlte als Realität anzuerkennen.
Außerdem: Nach dem katastrophalen Ende „Positiver Philosophie" hat es keinen erkenntnistheoretischen Ansatz mehr gegeben, der auch nur entfernt die Stringenz der kantischen Position er-

[51] Ebd. 451.

reichte. Was daher ein „Sehen" im Sinne *Castanedas* oder *Suzukis* sein soll, ein „Hören" im Sinne *Bohms,* bleibt unausgewiesen. Wir müssen uns wohl mit unserem normalen Wahrnehmungsvermögen begnügen, auf Erfahrungen im „Übersinnlichen" – dieser miserablen Fiktion – verzichten, was aber nicht ausschließt, daß Wahrnehmung immer schon (ehe sie das Bewußtsein erreicht) verarbeitet, selektiert und (ohne aktive Zutat des Wahrnehmenden) interpretiert wird. *„Reine Wahrnehmungen" gibt es nicht.*
Das Bedürfnis, Mystisches zu erfahren und zu erleben, mit dem Übersinnlichen Kontakt aufzunehmen, aus der tristen Alltäglichkeit in „höhere Welten" aufzusteigen und das Bewußtsein zu erweitern, ist auch nach Schelling virulent geblieben. Wo es in Bemühungen des Denkens keine Befriedigung mehr fand, wandte es sich anderen „Lehren" zu, wie sie stets von findigen Köpfen angeboten werden, allerdings ohne den bei Kant und Schelling erreichten Reflexionsgrad. Sie können unter verschiedensten Etiketten auftreten, als Theosophie, Transzendentale Meditation, fernöstliche Weisheit und wie auch immer. Die professionelle Philosophie pflegt solche Tendenzen vornehm zu übersehen und hält es für unter ihrer Würde, sich mit ihnen ernstlich auseinanderzusetzen, und die Kirchen schauen einigermaßen hilflos zu. Wenn aber Vernunft nicht einfach kapitulieren soll, muß sie sich den Herausforderungen herumvagabundierender Irrationalismen stellen und auf ihr Recht pochen. Sie darf sich nicht durch angeblich „höhere Erfahrungen" verdrängen lassen. Sonst wird sie als Regulativ auch im Alltäglichen scheitern, und die Probleme unseres Daseins könnten eines Tages den Schamanen überantwortet werden.
Nun heißt das nicht, alle Mystik sei irrationaler Unsinn und jeder Mystiker ein Wirrkopf. Der Begriff des Mystischen ist vielschichtig; er läßt sich auf ganz unterschiedliche Phänomene beziehen. Die „Mystik" der altindischen Veden hat einen anderen Charakter als die Mystik im Neuplatonismus oder die eines Jakob Böhme. Was im einzelnen „mystisch" ist, läßt sich nur vor dem Hintergrund eines geschichtlichen Rahmens klären. Im *Altindischen* z.B. wurzelt mystisches Denken in einem Verständnis von Wirklichkeit, für das Seiendes durch Relationen (die *gunas* der Bhagavadgi-

ta) bestimmt ist; der „Weise“ sieht nicht die einzelnen Dinge, sondern das Geflecht ihrer Beziehungen und erkennt darin ein *atman*, das sich gegenständlich überhaupt nicht fassen läßt. Die *neuplatonische Mystik* dagegen versucht ein Absolutes zu finden, das über allem Mannigfaltigen höchste Einheit ist und die an Vielheit gebundene Erkenntnis (die *nóäsis*) noch übersteigt. Bei den *Mystikern des 16. Jahrhunderts* sind wieder andere Motive maßgebend: Wendung gegen die Intellektualität scholastischer Theologie, Suche nach unmittelbarer Begegnung mit Gott in der Tiefe der Seele usw. Tendenzen und Ansätze sind jeweils verschieden: ein historischer Tatbestand, den die Einheit des Begriffs „Mystik“ verschleiert. Und es hätte wenig Sinn, den Vernunftbegriff gegen diese verschiedenen (und in sich durchaus „vernünftigen“) Formen mystischen Denkens ausspielen zu wollen.

Aber heute liegen die Dinge anders. Was sich in der ganzen Autorenreihe von Swedenborg bis New Age, von Hemsterhuis bis Steiner, als „mystisch“ darstellt, ist nicht originäre Mystik, sondern *mystischer Eklektizismus*, der sich aus dem geschichtlichen Reservoir heraussucht, was gerade paßt. Bezeichnend dafür sind die krampfhaften Versuche, Brücken zu schlagen und das Getrennte unter einen Hut zu bringen (z.B. bei *Suzuki*, wenn er den Zen-Buddhismus mit Meister Eckhart vergleicht). Und das Bemühen, eine allgemeine Erfahrungsquelle für Mystisches auszumachen (siehe Schelling!), ist genauso fragwürdig wie das Überspringen historischer Differenzen. Wo Mystik zur Flucht aus moderner Rationalität „gebraucht“ wird, bricht ihr Konflikt mit der kritisch fragenden Vernunft auf, und zwar mit aller Vehemenz!

2. Wenden wir uns nun dem *Problem des ganzheitlichen Denkens* zu, das vor allem durch New Age eine hervorragende Bedeutung gewonnen hat.

In seinem Buch „Wendezeit“ schrieb *Capra*, nachdem er die Weltanschauung Descartes’ und Newtons als analytisch-mechanistisch vorgeführt (und kritisiert) hatte, die moderne Physik sei nun zu einer neuen Einstellung gekommen, denke „organisch, ganzheitlich und ökologisch“, und Capra fährt fort:

„Das Universum wird nicht mehr als Maschine betrachtet, die aus einer Vielzahl von Objekten besteht, sondern muß als ein unteilbares, dynamisches Ganzes beschrieben werden, dessen Teile auf ganz wesentliche Weise in Wechselbeziehung stehen und nur als Strukturen eines Vorganges von kosmischen Dimensionen verstanden werden können."[52]

Im selben Sinne verkündet *Charlene Spretnak*, amerikanische Vorkämpferin für eine feministische Weltanschauung, das neue ganzheitliche Denken:

„Ganzheitliche Spiritualität beinhaltet ein umfassendes, integratives Modell über den Zusammenhang zwischen dem Säkularen und dem Sakralen, dem Materiellen und dem Spirituellen – ein Modell, das im wesentlichen auf den parallelen Entdeckungen der modernen Physik und gewisser fernöstlicher Systeme der Geistforschung beruht ... In allem und jedem webt derselbe vibrierende Tanz von subatomaren Teilchen/Wellen und fügt sich zu einem Geflecht unsichtbarer Allverbundenheit. All-Einheit und Wandel sind die einzigen Konstanten; das ist der hauptsächliche Glaubenssatz ganzheitlicher Spiritualität."[53]

Charlene Spretnak beschränkt natürlich – wie auch Capra – die neue, ganzheitliche Spiritualität keineswegs auf Physik, sondern sieht sie allgemein; so setzt sie für die westliche, verkommene Kultur die Begriffe mechanistisch-hierarchisch-patriarchalisch gleich und stellt dann dieser „unheiligen" Trinität ein ganzheitlich-netzwerkartig-feministisches Denken entgegen.

Schon die *Gestaltpsychologie* der zwanziger und dreißiger Jahre war ähnlich vorgegangen wie in unseren Tagen New Age. Ihr Grundsatz läßt sich auf die Formel bringen: *Das Ganze ist etwas anderes als die Summe seiner Teile*, eine Formel, die der aristotelischen Tradition entstammt und ein ontologisches Prinzip ausspricht. Gelegentlich wird auch behauptet, das Ganze sei „mehr" als die Summe seiner Teile; dann aber ist der aristotelische Hintergrund verfälscht, und außerdem taucht die Frage auf, worin eigentlich das bewußte „mehr" liegen solle.

[52] F. Capra, Wendezeit, aaO., 80.
[53] C. Spretnak, Ganzheitliche Spiritualität und systemüberschreitende Politik. In: Bewußtseins(R)evolution; Öko-Log-Buch 2, Weinheim/Basel 1983, 36.

Nun ist die Alternative summativ-ganzheitlich in mehrerer Hinsicht schief. *Erstens* kann man beide Betrachtungsweisen gar nicht so einfach gegenüberstellen, weil sie innerlich zusammengehören. Eine Klasse von Schülern: Ist die ein einheitliches Ganzes, oder setzt sie sich aus den beteiligten Schülern zusammen? Beide Betrachtungsweisen sind möglich und schließen sich gar nicht aus. *Aristoteles* hat das klar gesagt: „Ein Gegenstand ist das Ganze, das er ist, und ist doch auch die Mannigfaltigkeit seiner Teile."[54]
Und in bezug auf die Methodik der Wissenschaften, speziell der Naturwissenschaften, hat noch zu Beginn der Neuzeit *Francis Bacon* unmißverständlich festgestellt:
„Die zerstückelnde Betrachtung der Naturkörper macht den Geist kleinlich und beschränkt; die allgemeine und kombinierende Übersicht dagegen zerstreut und betäubt ihn leicht. Dieses zeigt sich am deutlichsten, wenn man die Schule des Leukipp und Demokrit mit den übrigen Philosophen vergleicht. Jene nämlich befaßt sich so sehr mit den Teilen der Dinge, daß sie dabei den Zusammenhang des Ganzen fast außer Acht läßt; diese dagegen verlieren sich so sehr im Anstaunen des Zusammenhanges, daß sie zur Einfachheit der Stoffe nimmer gelangen. Man muß somit beide Methoden abwechselnd vereinen, um den Geist zugleich scharf und vielumfassend zu erhalten, wodurch jenen Übeln und Vorurteilen vorgebeugt wird."[55]
In der Tat haben die Wissenschaften auch nach Descartes und Newton immer *beide* Methoden verwendet, und die radikale Gegenüberstellung, die von New-Age propagiert wird, ist historisch unzutreffend.
Zweitens aber krankt der Satz, das Ganze sei etwas anderes als die Summe seiner Teile, an einem *unklaren Summenbegriff.* Darauf hat schon *Moritz Schlick,* Hauptvertreter der sog. Wiener Schule des Neoempirismus, in einem immer noch lesenswerten Aufsatz hingewiesen. Auf den ersten Blick weiß jeder, was eine Summe ist. Addiert man 2 + 3 = 5, so hat man eine Summe zusammengerechnet. Das geschieht nach den üblichen Regeln der Arithmetik bzw. der

[54] Aristoteles, Physik, Buch I, Kap. 2, 185 b 34.
[55] F. Bacon, Neues Organon der Wissenschaften, Darmstadt 1974, 39.

„normalen“ Algebra, wie sie aus der Schule geläufig ist. Aber darüber gerät leicht in Vergessenheit, daß es auch ganz andere Arten der Summenbildung gibt. Wenn zwei Kräfte an einem Punkt angreifen und in verschiedene Richtungen wirken, so muß man ihre „Summe“ nach dem Kräfteparallelogramm bestimmen, also mit Hilfe von Vektoren, und dann ergibt sich eine Resultierende, deren Größe nicht gleich der arithmetischen Summe der Teilkräfte ist. Gießt man eine Wassermenge, die eine Temperatur von 20 Grad hat, in eine andere, die 30 Grad warm ist, so ergibt sich als Gesamttemperatur nicht die Summe von 50 Grad, sondern eine Mischungstemperatur, deren Wert sich nur nach einer etwas schwierigen physikalischen Formel berechnen läßt. Schließlich erhält in der vielgescholtenen Mengenlehre die Addition abermals eine neue Interpretation. Will man aus der Menge aller Schüler und der Menge aller Radfahrer die Gesamtmenge aller Schüler und Radfahrer bilden, so muß man berücksichtigen, daß es auch radfahrende Schüler gibt, die nicht doppelt gerechnet werden dürfen. Da ergäbe sich also dem Prinzip nach die Regel: Schüler + Radfahrer — radfahrende Schüler = Gesamtmenge Schüler/Radfahrer. Und die Mathematik hält noch genügend Spielraum für weitere Möglichkeiten des Addierens offen, so daß der Begriff „Summe“ durch die genannten Beispiele keineswegs ausgeschöpft ist.
Kurzum: Was als „Summe“ betrachtet werden soll, muß von Fall zu Fall genau definiert werden, und es wäre zumindest naiv, wollte man den arithmetischen Summenbegriff als den allein gültigen ansehen. Genau das aber geschieht bei den Vertretern eines Ganzheits-Paradigmas, wenn sie sich gegen das zergliedernde, atomistische Baustein-Denken absetzen wollen. Sie übersehen die Komplexität wissenschaftlicher Begriffsbildungen und werden damit zu den *terribles simplificateurs,* vor denen schon J. Burckhardt gewarnt hatte. „Ganzheit“ ist nicht der Gegenbegriff zu „Summe“, und wenn man die Vieldeutigkeit des Summenbegriffs übersieht, wird natürlich auch der Ganzheitsbegriff schwammig und undefiniert. Ehe man sich bei einem bestimmten Problem entscheidet, ob man zu seiner Lösung die arithmetische Additionsmethode, die Addition von Vektoren, die Bildung einer Gesamtmenge oder andere

„Summierungen" verwenden will, muß man schon das Problem „als Ganzes" begriffen haben. Ganzheit erscheint dann als Form einer axiomatischen Vorweg-Sicht und braucht sich nicht erst durchs Hintertürchen einzuschleichen.

Vor allem läßt sich nicht sagen, etwas sei „an sich" eine Ganzheit und dürfe deshalb nicht analytisch in seine Bausteine zerlegt werden. Es kommt immer darauf an, was man will. Ein Physiker, der prüft, was für Teilchen beim radioaktiven Zerfall eines Atoms auftreten, muß deshalb nicht das ganze Universum in seine Überlegungen, Experimente und Messungen einbeziehen, obwohl er das natürlich tun kann (wenn er nichts Besseres vorhat). Vor allem wäre es wohl absurd, wollte er seine Resultate nun auch noch in magisch-mythisch-feministische Zusammenhänge einbetten, wie das Charlene Spretnak vorzuschweben scheint. Seine Formeln werden nicht besser, wenn sie außer mit mathematischen Symbolen auch noch mit Yin und Yang rechnen: ganz im Gegenteil!

Es geht eben nicht darum, ob etwas an sich eine Ganzheit ist oder nicht, sondern darum, wie man es betrachtet, und das hat *M. Schlick* in dem oben genannten Aufsatz deutlich betont. Es heißt dort: „Streng genommen ist es niemals korrekt, von einem Gebilde zu sagen, es sei eine ‚bloße Summe' oder eine ‚Ganzheit', sondern man meint: Bei diesem Gebilde ist eine summenhafte, bei jenem eine ganzheitliche Begriffsbildung zum Zwecke der Erkenntnis vorteilhafter ... Es handelt sich um typische Mißverständnisse, die im Grunde bei jeder erkenntnistheoretischen Frage wiederkehren: Probleme der passenden Beschreibung, der zweckmäßigen Definitionen werden mit Tatsachenfragen verwechselt, und so entstehen scheinbar ontologische Probleme, metaphysische Streitfragen. Die ‚Ganzheit', ein vortreffliches begriffliches Beschreibungsmittel, verwandelt sich in ein metaphysisches Wesen, wird zur ‚Entelechie' und ähnlichen Ausgeburten philosophischer Unklarheit."[56]

Wenn es sich also bei der (in sich schiefen) Alternative zwischen analytischem und ganzheitlichem Denken nur um eine Frage der Darstellungsweisen – ich sehe etwas als Ganzes / ich sehe etwas als

[56] M. Schlick, Gesammelte Aufsätze, Wien 1938, 252–266.

Teil – handelt, so kann man ähnlich auch dem Gegensatz zwischen (angeblich nur!) rationaler und irrationaler Einstellung begegnen. Häufig wird so verfahren, als sei die Vernunft Urheberin des begrifflichen Zergliederns, die ganzheitliche Sicht aber Ausdruck von Irrationalismus. Unter dieser unseligen Gegenüberstellung hatte schon die oben erwähnte Gestaltpsychologie zu leiden; heute wird die Angelegenheit bis zur Kontroverse weltanschaulicher Positionen hochstilisiert. Aber man kann Systeme ganzheitlich betrachten, ohne irrational zu werden; das geschieht z. B. in der weitgehend mathematisierten *Systemtheorie.* Netzwerkartige Zusammenhänge in physikalischen, biologischen, ökonomischen oder gar ökologischen Strukturen können sogar mit Hilfe von Computern simuliert und analysiert werden, ohne daß die Methodik rationalen, zergliedernden Denkens aufgegeben wird. Das gestehen auch die meisten New-Age-Vertreter ein. Aber wenn sie dann trotzdem noch über die systematische Arbeit in Netzwerkstrukturen das Etikett des Ganzheitlichen kleben, als sei damit eine neue Qualität erreicht, verstoßen sie gegen einen wesentlichen Grundsatz der Vernunft: nicht mehr in eine Sache zu investieren, als unbedingt nötig ist (*entia non sunt multiplicanda praeter necessitatem* – Gegenständlichkeiten darf man nicht ohne Not vervielfachen, hatte schon *William von Ockham* im Mittelalter gesagt!)

5. *Die Rationalität der Vernunft*

Fassen wir zusammen: Die Situation der Vernunft heute ist zwiespältig geworden. Vernunft kann sich ihrer selbst nicht mehr so sicher sein wie im Zeitalter ihrer größten Triumphe, im Rationalismus des 17. und 18. Jahrhunderts. Sie muß die ihr eigene Rationalität kritisch befragen lassen und sich nicht nur von außen kommender Anfechtungen erwehren, sondern aus sich selbst immer erneut zu begründen suchen, was sie beanspruchen und wo sie kompetent sein darf. Der Zirkel, in den sie bei diesem Versuch unausweichlich gerät, liegt darin, daß Vernunft über Vernunft nicht anders als „vernünftig" reden kann.

Die Situation des nach Vernunft fragenden und damit *denkenden* Menschen läßt sich vergleichen mit der Lage eines Wanderers, der sich in eine ihm völlig fremde Landschaft versetzt sieht. Er weiß nicht, woher er kommt, und weiß nicht, wohin er soll: Um ihn ist nichts, was ihm sagte, wie er zu gehen hat, weder ein Wegweiser noch ein vertrauter Punkt. Das völlig Offene ringsum zwingt ihn, sich zu orientieren, will er nicht ohnmächtig resignieren, aber genau diese Möglichkeit, nach Orientierung suchen zu *können*, ist das, was ihm seine Chance gibt. Der Ansatz des denkenden Fragens liegt darin, einen *Entwurf* zu wagen, also zu handeln, und vernünftig ist jeder Schritt, der den Entwurf probiert. Vernunft hat grundsätzlich mit *Orientierung im offenen Raum des Möglichen* zu tun, nicht nur in der Landschaft, sondern im weiten Feld menschlichen Daseins schlechthin.

Insofern ist Vernunft keine Sache, sondern ein *Modus des Verhaltens* (vgl. Kap. II. 1), nichts Substantielles, sondern eine Weise des Handelns (zu dem auch das Denken gehört). Der Wanderer unseres Beispiels sieht um sich den *Horizont,* den weitesten Rahmen des Handelns, der zwar nicht von sich aus Orientierung gibt, aber deren Möglichkeiten abgrenzt, und das im doppelten Sinn einer endlichen und zugleich wandelbaren Struktur: Wer wandert, hat an jedem Punkt seinen Horizont, und wenn er weitergeht, wandert der Horizont mit. So ist auch das Denken nie horizontlos, sondern geschieht aus einer geschichtlichen, den Menschen zum Handeln herausfordernden Situation, die sich mit jedem Schritt ändert. *Vernünftig* zu handeln würde bedeuten, nicht blindlings im jeweiligen Horizont herumzuirren, sondern eine Strategie zu wählen, die der Situation angemessen ist.

Damit wendet sich der Blick vom äußeren Horizont nach innen, zu den Voraussetzungen, die im Menschen selbst vernünftiges Verhalten möglich machen: zum *inneren Horizont* eigener Fähigkeiten. Das hatte schon *Kant* nicht viel anders gesehen: In seiner Schrift „Was heißt: sich im Denken orientieren?“ beschreibt er die Lage eines Menschen in einem dunklen Raum: Wo Informationen über die äußere Umgebung fehlen, wird der am eigenen Leib gespürte Unterschied von rechts und links die ersten Orientierungs-

schritte leiten, und beim Denken ist nicht viel anders das, was die Vernunft *aus sich selbst* nehmen kann, die unmittelbarste Orientierungshilfe. Um bei dem Wanderer-Beispiel zu bleiben: Der Blick in die fremde Umgebung mag dort Bäume, Felder und Hügel erfassen, das ganze Panorama der Landschaft, aber er bleibt nicht beim reinen Hinsehen. Er wird zum *suchenden* Blick, und wenn nun ein Hügel sich besonders hervorhebt, so mag das den Wanderer anziehen, sich dort auf dem Gipfel eine weiterreichende Aussicht zu verschaffen. Für die Landschaft selbst ist ein Hügel so gut wie der andere, aber für den Wanderer wird der höchste zum wichtigsten. Diese Art, Dinge beurteilen und einschätzen zu können, ist eine *innere* Fähigkeit und als solche Voraussetzung für die Wahl eines Weges. Der suchende Blick wirft gleichsam sein Netz über die Landschaft und konzentriert sich auf das, was sich in diesem Netz fängt. Zwar garantiert nichts, daß die Aussicht vom höchsten Punkt dem Wanderer eine endgültige, feste Orientierung schafft; er kann nicht wissen, ob er sich von dort aus zurechtfinden wird, aber die *Strategie,* wenigstens den Versuch zum Überblick zu wagen, ist „vernünftig".
Was der Wanderer tut, tut der Wissenschaftler nicht viel anders. Kein Geringerer als *Albert Einstein* hat die Methodik der Wissenschaft als freies, heuristisches Suchen definiert: Alle Erkenntnis empirischer Forschung ist grundsätzlich hypothetisch, alle Theoriebildungen sind „freie Erfindungen des menschlichen Geistes" und durch keine Gründe a priori vorgegeben. Durch Erfahrung sind sie nie endgültig zu bestätigen oder gar aus ihr abzuleiten. Stets handelt es sich bei ihnen um Schöpfungen „rein fiktiven Charakters"[57], um Strategien zur Horizonterweiterung, die der Mensch aus sich selbst entwickeln muß, um sich in der ihm unbekannten Welt der Dinge, der Natur, des Universums zurechtzufinden. Eben das aber kennzeichnet die *Möglichkeit der Vernunft:* Sie ist das uns gegebene Netz, das wir auswerfen müssen in der nie gewissen Hoffnung, etwas zu fangen.

[57] A. Einstein, Mein Weltbild, Berlin 1959, 115.

Gewiß ist Vernunft durch ihren Entwurfscharakter allein nicht hinreichend gekennzeichnet. Er beschreibt nur den Grundzug ihres strategischen Könnens, nicht dessen Vollzug. Zum Vernünftigen rechnet man seit alters her das Logische. Vernunft ist nicht Fantasie. Vernunft setzt das begründende, argumentierende, konsequent schließende Vermögen voraus, das sich in den Wissenschaften bewährt. Treten diese Momente in den Vordergrund, so erscheint Vernunft als *Rationalität;* werden sie als alleinige Kriterien genannt, entsteht *Rationalismus.* Die heutige Welt des technologischen Zeitalters scheint in diesem Sinne völlig „rationalistisch" geworden zu sein, und gegen die angeblich usurpierte Herrschaft „reiner Vernunft" erheben sich Proteste verschiedenster Art. Aber sie übersehen, daß die Vernunft das Logische zwar impliziert, aber nicht in ihm aufgeht. Wäre es anders, so könnten tatsächlich Computer die Macht ergreifen und die „Mathesis universalis" zum letzten Schluß der Weisheit erheben. Aber gerade dann verlöre die Vernunft jede Möglichkeit, sich Neuem zu öffnen; sie wäre ein in sich geschlossenes System unveränderlicher Normen und Gesetze. Daß sie das nicht ist, zeigt ihre Geschichte (vgl. Kap. I, 1).

„2 + 3 = 5": So etwas gilt offensichtlich immer und unter allen Bedingungen. Es ist ein Fall mathematischer Rationalität; zwei Zahlen nach den Gesetzen der Arithmetik zu addieren, kann als in vieler Hinsicht paradigmatische Vernunfttätigkeit gelten. Aber nicht alles, was vernünftig ist, muß mathematisierbar sein. Wenn sich jemand entscheidet, bei gutem Wetter mit dem Fahrrad statt mit dem Auto zur Arbeit zu fahren, so mag dieser Entschluß durchaus vernünftig sein, ohne daß er in mathematischen Formeln berechenbar ist. Seine Vernünftigkeit ergibt sich aus der Situation und den grundsätzlich akzeptierten Verhaltensmaßstäben, aber solche Maßstäbe gelten nicht immer und ewig, sondern im Kontext bestimmter Verkehrsmöglichkeiten, Gesellschaftsformen, Lebenshaltungen allgemeiner Art, kurz: *im Horizont historisch vermittelter Rationalität.* Es ist noch nicht lange her, daß man gesagt hätte: „Unvernünftig, mit dem Fahrrad zu fahren, wenn man ein Auto besitzt!" Gerade die Offenheit für sich wandelnde Rationalität kennzeichnet die Vernunft, und das bewährt sich am meisten, wenn traditionelle Rationalitätsformen (Strategien) an ihre Grenze gelangt sind. Eine solche Vernunftauffassung verträgt sich sogar mit dem Pluralismus der Postmoderne!

Vernunft selbst aber kommt an ihre Grenze, wenn sie den Anspruch erhebt, Universalkonzepte zu besitzen, die immer und unter allen Umständen gelten. Das letzte Beispiel dazu hat das marxistische System des sogenannten „wissenschaftlichen Sozialismus" geliefert, dessen Zusammenbruch wir heute erleben. Es stellt einen Typ jener Meta-Erzählungen dar, von denen *Lyotard* gesprochen hatte. Natürlich ist auch der Marxismus ein Konstrukt der Vernunft, aber seine Verabsolutierung setzte die Vernunft schließlich außer Kraft. *Wo sie alles will, kann sie am Ende nichts mehr,* und schlägt um in die Torheit totalitaristischen Denkens. Weniger wirksam und trotzdem bedenklich genug sind jene anderen Formen ganzheitlicher Weltanschauungen, die sich um Anthroposophie, New Age und Verwandtes scharen und bis zum Esoterischen hin die Geister des Universums beschwören wollen. Auch sie bilden geschlossene Systeme, in denen alles seine Lösung finden soll (von „Vollendung" ist da die Rede), aber die Geschichtslosigkeit solcher Ideologien lähmt nicht nur die argumentative Auseinandersetzung, sondern verhindert auch jedes Weiterdenken über den einmal gesteckten Rahmen hinaus. Pluralistische Postmoderne schlägt auf solche Weise um in neue Orthodoxie und hebt auf, was ihr am Herzen zu liegen schien: das nie vollendbare Suchen nach Wegen im Unbegangenen: das *Umdenken.*

Umdenken kann aber nicht heißen, in Vor-Aufklärungszeiten zurückzufallen, und schon gar nicht darf es die Vernunft außer Kraft setzen. Den sich heute bietenden Problemen unserer durchtechnisierten Welt, den Bedrohungen durch Umweltzerstörung, Klimaveränderungen, atomare Abfallprodukte und was immer noch zu nennen wäre, ist nicht durch esoterisches Wunschdenken zu begegnen. Übersinnliche Wahrnehmung kann keine Katastrophen verhindern. Gefordert ist vielmehr die Konzentration technisch-wissenschaftlicher Möglichkeiten auf alles, was Schäden meidet und Gefährdetes rettet. Dem analytischen Denken abzuschwören, mag eine publikumswirksame Geste sein. Aber ein Forscher, der lei-

stungsfähige Filteranlagen für Fabrikschornsteine entwickelt, bewirkt unendlich viel mehr als die schönste Ganzheitsideologie, auch wenn er sich auf den Bahnen klassischer Physik oder Chemie bewegt. Die „sanfte Verschwörung" des New Age hat außer einer Flut orakelhafter Publikationen nichts hervorgebracht, was auch nur im geringsten helfen könnte, mit Problemen unserer konkreten Wirklichkeit fertigzuwerden.
Aus dem Geist der Aufklärung zu denken, ist in Verruf geraten. Zu leicht drängt sich das Klischee vom engstirnigen, gefühlsarmen Verstandesmenschen auf, der mit pedantischem Ordnungssinn am System seiner Logik-Regeln bastelt und dabei des Lebens grün-goldenen Baum übersieht. Aber die Aufklärung hat eine geschichtliche Leistung vollbracht, die heute noch fruchtbar sein kann. Sie hat gezeigt, was es bedeutet, selbständig zu denken, Vorurteile zu erkennen und zu überwinden, Dogmen zu kritisieren und vernünftige Fragen zu stellen. Man muß die Vernunft nicht zur allmächtigen Göttin erheben, aber man darf sie doch so respektieren, wie es „vernünftig" ist, nämlich im Sinne einer wachen, nüchternen Bereitschaft, jede Behauptung und jede Meinung auf den Prüfstand der Argumente zu bringen. Aufklärung im Sinne der vorbehaltlosen Bereitschaft, dem treffenden Argument zu folgen und es doch gleich wieder in seiner ganzen Fragwürdigkeit der Kontrolle zu unterwerfen, kennt keine Tabus. Sie belehrt nicht, sondern fragt, und sie weiß, daß die Fragen nie enden. Genau dadurch unterscheidet sie sich von der immunisierten Gewißheit, der alles klar ist, ehe sie noch die Augen auftut.

6. *Vernunft und christlicher Glaube*

Die Krisen der Vernunft sind nicht nur Sache der Vernunft selbst. Wäre es so, man könnte sie den Philosophen überlassen. Tatsächlich schlagen sie voll auf alle Lebensbereiche durch, ob da nun Naturheiler mit magisch wirkenden Kristallen operieren, Wirtschaftsmanager sich Rat beim Astrologen holen oder Schüler angesichts einer bevorstehenden Klassenarbeit auspendeln, was es werden wird: ein „Mangelhaft“ oder ein „Sehr gut“. Rationalität ist da wenig gefragt, am Ende geht es um Glaubensdinge. Doch gilt nicht die alte Überzeugung, Glaube sei Sache der Religion? Wenn dem so ist, muß die Krise der Vernunft auch den gläubigen Menschen betreffen, sei es in dem Sinne, daß er sich bestätigt fühlt, sei es im Sinne einer Beunruhigung. Steht das Haus des Nachbarn in Brand, wird man sich um das Seinige sorgen. Was aber heißt das für Christen?

Ihre Situation in einer pluralistischen Welt ist schwierig geworden. So einfach, daß sein Glaube der allein richtige und wahre sei, kann ein Christ heute kaum noch denken.

Zunächst sind da die anderen Religionen. Daß ein Gespräch mit ihnen erforderlich ist, wird heute wieder zugestanden, wenngleich zögerlich. Aber auch das Christentum selbst ist kein monolithischer Block, sondern existiert nur in historisch gewachsenen, oft in Widerstreit zueinander stehenden Konfessionen. Sie differenzieren sich ihrerseits in Feinstrukturen, je nach theologischen Ansätzen, Richtungen, Standorten. Da gibt es Traditionalisten, Fundamentalisten, Progressive; solche Unterschiede gehen an die Substanz. Mit einem Wort: Die christliche Welt muß sich dem postmodernen Pluralismus nicht erst als von außen kommender Anfechtung stellen; sie trägt ihn längst in sich.

Nun scheint es, als könne man die Vielfalt der christlichen Standpunkte dadurch vermeiden, daß man alle Traditionen, Lehrmeinungen, Theologien einfach beiseite läßt und zum schlichten Ursprung des Glaubens zurückkehrt: zu Jesus als dem, mit dem alles begonnen hat. Er ist doch das reine „Daß ...“, unmittelbares Ereignis, einfache Tatsache, direkter Inhalt der Glaubenserfahrung. *Aber unvermittelte Erfahrungen gibt es ebensowenig wie nackte Tatsachen.* Alle Erfahrung setzt etwas voraus, was sie möglich macht und ihren Horizont absteckt; Tatsachen sind nicht von sich aus gegeben, sondern werden *erschlossen,* wobei die Kategorien dieser Erschließung ein nicht-empirisches Apriori bilden. Das *factum brutum* (das „reine Ereignis“) ist eine Illusion. Das gilt nicht nur für die Theorie wissenschaftlicher Forschung, es gilt auch für den theologischen Erfahrungsbegriff. Wer meint, Gott auf unmittelbare Weise erfahren zu können, übersieht, *daß Erfahrung immer eine subjektive Seite hat*, daß sie nur in den Formen unseres Bewußtseins gegeben ist und von diesen Formen abhängt. Selbst wenn Gott erfahrbar wäre, wäre er es nur auf vermittelte Weise, nie direkt. Theologisch gesprochen: Gott in seinem reinen An-sich-Sein ist von jeder Erfahrbarkeit *ausgeschlossen*, ist *deus absconditus;* dem Menschen bleibt höchstens der *deus revellatus* (ein *aufgebrochener*, d.h. auf den Menschen hin geöffneter und daher in die menschlichen Denkformen hineingenommener Gott). Und auch die angesichts solcher Theologenbegrifflichkeit immer wieder lockende Rückkehr zum scheinbar einfachen Urchristentum (einer in sich problematischen Konstruktion!) kann keinen voraussetzungsfreien Nullpunkt des Glaubens finden: *Es gibt ihn nicht.*

Andererseits scheint aber der Akt des Glaubens selbst eine freie Entscheidung und in der unbedingten Existenz des Gläubigen verankert zu sein. Glaube ist danach nicht argumentativ herleitbar, braucht keine Beweise, sondern unterscheidet sich als fundamentales *Vertrauen* von allem Wissen und aller Erkenntnis. Glaube umfaßt und trägt den ganzen Menschen, ist keine Sache intellektueller Bedürfnisse. Er ist eben weder Philosophie noch Wissenschaft.

Hier zeigt sich ein Doppeltes. Erstens gewinnt der so verstandene christliche Glaube eine Entschiedenheit, die ihn weit abhebt von den Weltanschauungsangeboten unserer Tage. Die Ideologien der „sanften Verschwörung", des ganzheitlichen Denkens, der Verheißung vollkommenen Daseins, der Versöhnung mit Natur und Kosmos, sind dagegen leicht zu haben. Sie harmonisieren, ohne sich einem harten „Entweder – Oder" zu stellen. Zweitens aber umgeht der existentiell so unerbittliche Glaube den Umstand, daß weder Vertrauen noch freier Entschluß ohne ein Moment des Wissens möglich sind; das Für-wahr-Halten läßt sich bei aller Rigorosität christlicher Entscheidung nicht ausklammern, es bleibt erhalten, auch wenn man den Glauben nicht argumentativ, sondern aus Gottes Gnade gewinnen will. Glaube kann nicht gegen die Vernunft, sondern nur in Einklang mit ihr bestehen. Er braucht das Denken, soll er nicht Gefahr laufen, zum Aberglauben zu schrumpfen. Anders gesagt: Ohne *Theologie* geht es nicht!

Dieser Satz ist polemisch gemeint. Angesichts von New Age, von Transzendentaler Meditation und angesichts mancher Sekten bis hin zu esoterischen Zirkeln wird angemahnt, die christlichen Kirchen müßten sich wieder dem Wunsch nach Geborgenheit öffnen, sie müßten für Menschen, die an der rauhen Realität im szientifisch-technologischen Jahrhundert irre werden, eine Heimstatt bilden und der Sehnsucht nach Wärme, nach Menschlichkeit und vielleicht auch nach Irrationalem entgegenkommen. Andererseits müßten sie Stellung beziehen im Politischen, Engagement ist gefragt, soziale Verantwortung, das klare Wort und die wirksame Tat dort, wo Not herrscht, Verarmung, Ausbeutung, Unterdrückung. Das soll nicht verkleinert werden. Aber es reicht nicht, wenn die Kirche nur als Forum gesehen wird, wenn christlicher Glaube nur ein anderes Wort für Gesinnung ist. So achtbar und unverzichtbar das sein mag – die Kirche als Andachtsraum, die Spende für „Misereor" oder „Brot für die Welt": Es enthebt nicht der Mühe, seinen Glauben zu *denken*, und diese Mühe hat seit je den Namen „Theologie" getragen. Ob Jesus Theologe war, sei dahingestellt: *Paulus* war es bestimmt. Er hat nicht blindlings geglaubt, sondern für das, was ihm Jesus bedeutete, einen Rahmen gebildet, der das Geschehen um und durch Jesus in den Zusammenhang einer *Heilsgeschichte* stellte; sie beginnt für ihn mit dem Sündenfall Adams und erfüllt sich mit dem Kreuzestod (Röm 5, 17. 18). Anders und doch ähnlich bei *Johannes*, der in Jesus Christus den präexistenten Logos sah, der auf die Erde kam und sein Werk vollbrachte (das *tetélestai* in Joh 19, 30). Wie unterschiedlich auch sein mag, was Paulus und Johannes sagen, man kann es denkend nachvollziehen und Vernunft darin finden; kein Kirchenvater aus der Patristik wäre auf die Idee gekommen, die Deutungen des Heilsgeschehens für unvernünftig zu halten. Im Gegenteil: Von Justinus bis Kyrill von Alexandrien (dem *doctor ecclesiae*), von Tertullian bis Boethius waren alle von dem Willen beseelt, zu begreifen, was sie ergriff, und selbst Tertullians *credo, quia absurdum* (Ich glaube, weil es unmöglich ist) war nicht als Absage an die Vernunft gemeint, sondern als höchste Zuspitzung: Die Paradoxie, daß Gottes Sohn stirbt und aufersteht, kann erst dort in vollem Ernst erscheinen, wo alles bis zum Ende durchdacht ist.

Den Glauben immer wieder denkend zu interpretieren, ist Aufgabe der Theologie, aber das geht nicht ab ohne die andere Aufgabe einer *Kritik der theologischen Vernunft.* Sie gewinnt in einer Phase, die das Postmoderne unter pluralistischem Vorzeichen zur Metapher der Zeit erhoben hat, eine neue und eigenständige Bedeutung. Die Herausforderung beginnt nicht erst, wo New Age und Verwandtes den Kirchen ihren Rang abzulaufen scheinen. Sieht man es so, bleibt es beim Streit um Symptome. Eine Kritik der theologischen Vernunft ist zuallererst Sache der Vernunft selbst. Aber wenn die Rationalität dieser Vernunft in Frage gestellt und ihrer Sache nicht mehr sicher ist, *wie kann sich dann die Vernunft noch herausnehmen, Theologie kritisieren zu wollen?*
Von solchen Fragen unbeeindruckt, hatte der *kritische Rationalismus* die Vernunft als unerschütterlichen Maßstab eingesetzt, um ihn gegen die christliche Theologie ins Feld zu führen. Und wenn diese Theologie sich auf eine Ebene eigener Wahrheiten zurückzog, die nichts mit den Wahrheiten der wissenschaftlichen Ratio zu tun haben sollte, so bot sie der kritizistischen Polemik ein nahrhaftes Feld. Gegenüber der Unterscheidung zwischen Glaubens- und Vernunftwahrheiten konnte z.B. *Hans Albert* leicht einwenden: „Das Motiv für die Wahl einer solchen Strategie liegt im allgemeinen auf der Hand: Man ist zwar im sicheren Besitz der Wahrheit, hat aber dennoch eine gewisse Angst vor kritischer Prüfung und opfert daher lieber die elementare Moral des Denkens – nämlich die Logik – als diesen angeblich sicheren Besitz.“[58]
Die von *Albert* in Anspruch genommene kritische Rationalität geht von einem Hauptprinzip aus: „Suche stets nach relevanten Widersprüchen, um bisherige Überzeugungen dem Risiko des Scheiterns auszusetzen, so daß sie Gelegenheit haben, sich zu bewähren.“[59] Und etwas später: „Nicht die Rechtfertigung des Vorhandenen durch Zurückführung auf sichere Gründe, sondern seine Widerlegung durch den Nachweis von Widersprüchen wird angestrebt.“[60] Vor diesem methodischen Prinzip erscheint der christli-

[58] Ebd. 43.
[59] Ebd. 45.
[60] H. Albert, Traktat über kritische Vernunft, Tübingen ^{2}1969, 105.

che Glaube als etwas zutiefst Irrationales, weil er nicht nach seinen eigenen inneren Widersprüchen, sondern nach letztverbindlicher, existentieller Wahrheit sucht.

Nun ist der Satz vom Widerspruch (von einem Subjekt können nicht zwei einander widersprechende Prädikate in gleicher Hinsicht ausgesagt werden) ein Satz der formalen Logik, d. h. er enthält keine inhaltlichen Momente. Daß ein Tisch nicht zugleich rund und eckig sein kann, leuchtet ein, aber da bietet die Formalität des Widerspruchs noch keine Probleme. Schwierig wird die Sache erst, wenn man fragt, *was überhaupt als Widerspruch gesehen werden soll.* Denn bei vielschichtigen, komplexen Verhältnissen ist das nicht immer auf Anhieb auszumachen. In marxistischen Systemen schließen sich z. B. privates Eigentum an Produktivkapital und eine soziale Gesellschaftsordnung aus; in Staaten mit sozialer Marktwirtschaft können sie sich durchaus miteinander vertragen. Widersprüche müssen nicht „an sich“ bestehen, sondern treten auf, wenn man Dinge aus einer bestimmten Perspektive betrachtet; wechselt man die Perspektive, können die Widersprüche wieder verschwinden. Das gilt zumal für historische Zusammenhänge, aber genau hier versagt die Methodik des kritischen Rationalismus. *Weil er die Vernunft einem formalen Prinzip unterwirft, kann er sie nicht in ihrer Geschichtlichkeit sehen.* Was aber als Widerspruch, als Tatsache und als Glauben verstanden wird, entscheidet sich aus historischen Situationen und liegt nicht ein für allemal fest.

Dieser Einwand gegen die überzogenen Ansprüche kritischer Rationalität befreit jedoch die Theologie nicht von Prüfung durch die Vernunft. Sie wird vielleicht wesentliche Theologie (im Unterschied zu irgendwelchen Weltanschauungen, Ideologien oder Theosophien) erst dadurch, daß sie vernünftige Kritik als integrales Moment ihrer selbst begreift. Das ist ihr immer schwergefallen und fällt ihr auch heute noch schwer. Zu groß ist die Versuchung, dem schlichten Gemüt entgegenzukommen, das einfach nur glauben will. Oder sich Zeitströmungen anzupassen, um dem Vorwurf zu entgehen, unzeitgemäß zu sein. (Ein Beispiel hierfür bietet der Versuch, das „Bewahren der Schöpfung“ als Gottesauftrag zu interpretieren; damit wird zwar – was achtbar ist – den heutigen Ökologieproblemen Rechnung getragen, aber nur unter krampfhaftem Herumdeuten am biblischen Text.)

Die tiefgreifendste Kritik durch pluralistisch denkende Vernunft erfährt die Theologie dort, wo sie Meta-Erzählungen im Sinne *Lyotards* zu bieten sucht. Lyotard hatte das Ende dieser Erzählungen verkündet, der totalitären Universalentwürfe, die alles aus einem Punkt verstehen wollen. Auch die Vorstellung vom großen Bogen zwischen Schöpfung und Jüngstem Gericht, überhaupt alle apokalyptischen Visionen gehören dazu (inklusive ihrer modernen Varianten von Umwelt- und Atomkatastrophen). Und wenn das die Heilsgeschichte der christlichen Theologie ebenfalls beträfe? Gerade das Bemühen des *Paulus,* einen Anfang (Adam) und ein Ende (Kreuzestod) zum großen Plan Gottes zusammenzuknüpfen, macht Weltgeschichte zur Meta-Erzählung, in der alles aus *einem* Punkt gesehen wird: Es ist der Punkt des *Archimedes,* von dem aus sich das Universum aushebeln läßt; es ist auch der Punkt, unter dem für *Umberto Eco* das Foucaultsche Pendel schwingt. Aber dieser Punkt bleibt leer, bei Eco wie bei Lyotard. Das ist die eine Herausforderung, der sich theologische Vernunft stellen muß.

Die andere liegt darin, daß unter dem Gesichtspunkt linguistischer Pluralität theologisches Reden von Gott, von Jesus Christus, von der Welt und vom Menschen in *Sprachspielen* erfolgt, nicht anders als das Reden der Naturwissenschaftler, der Mathematiker, sogar das alltägliche Reden in Strukturen „normaler Sprachen“. Das heißt konkret: Sprechen im Rahmen des Religiösen hat seine axiomatischen Voraussetzungen, seine Regeln und seine Spielzüge (Theoreme) wie jedes Spiel, sei es nun Schach oder formale Logik. Diese Bedingungen stecken den Rahmen ab für das, was dem Theologen als Erfahrung und Tatsache gelten kann, aber es ist keine absolute Geltung damit verbunden: Spiel bleibt Spiel!

Wie relevant der Begriff des Sprachspiels ist, zeigt die Ausbildung sakraler Sprechformen im Lauf der Geschichte. Für das Judentum waren die hebräisch geschriebenen Offenbarungstexte auf so eminente Weise heilig, daß sie keineswegs verändert, nicht einmal übersetzt werden durften. Seit hellenistischer Zeit, als das alte Hebräisch kaum noch verstanden wurde, half man sich, indem beim Gottesdienst ein Vorleser den sakrosankten Originaltext las, während ein Übersetzer (der etwas unter dem Vorleser stand bzw. steht) die heiligen Worte in die lebendige Umgangssprache übertrug. Dieses Festhalten am Ursprungstext hob ihn aus dem Fluß geschichtlicher Veränderung heraus und verlieh ihm die Würde einer sakralen Sprache, die anders als alltägliches Reden und voller Feierlichkeit ist: Heiliges Wort. Entsprechendes läßt sich bei der Bibelübersetzung Luthers feststellen. Obwohl es längst moderne Übertragungen gibt, die leichter zugänglich sind, hat der Originalton Luthers auch für den heutigen Leser immer noch etwas vom Fascinosum einer Welt, die mehr bietet, als instrumentalisierter Sprachgebrauch oder triviales Gerede je bieten können. Das „Wort" schwebt in der Sphäre sprachlicher Autonomie, macht sich nicht abhängig und scheint über der Zeit zu sein. Aber gerade diese Eigenständigkeit isoliert es auch, macht es zur Sache besonderer Hörer, denen es etwas zu sagen hat. „Hörer des Wortes" *(Karl Rahnert*[61]) zu werden, verlangt, ein entsprechendes Sprachspiel zu lernen.

Dabei ist das Spiel „Sakrale Sprache" ständigen Veränderungen unterworfen, auch wenn sie wenig bewußt, oft gar geleugnet werden. Im Hebräischen taucht das Wort „Gott" pluralisch auf *(elohim)*, was ein Verständnis der Schöpfungsgeschichte so schwer macht („Lasset *uns* Menschen machen"; Gen 1,26); die jüdische Mystik, etwa *Isaak Luria* (1531–1572), hat versucht, daraus eine Spekulation über die Selbstwerdung Gottes vom Plural zum Singular des „Einen" zu entwickeln. Das griechische *kyrios* (Herr) steht dagegen in völlig anderem Kontext; es ist hellenistischer Hoheitstitel für ins Göttliche erhobene Menschen, entsprechend dann im Lateinischen *dominus* (bezogen auf die römischen Götter, später auf den Kaiser). Dieser historisch vermittelte Herrentitel hat inzwischen feministischen Widerspruch erregt: Warum soll Gott männlich vorgestellt werden, warum sollen wir nicht beten: „*Mutter* unser ..."? Aber gerade solche Einreden übersehen den Spielcharakter sakraler Sprache bzw. theologischer Rede und machen aus dem Spiel verbissenen Ernst.

[61] K. Rahner, Hörer des Wortes, München 1963.

Das liegt wohl in der Natur der Sache. In der Zeit nach *Heidegger* hatte sich bei Theologen ein „Jargon der Eigentlichkeit" eingebürgert, der existentielle Entschlossenheit ausdrücken sollte; inzwischen ist das zwar etwas zurückgegangen, hält sich aber noch in scheinbar peripheren Formen. Wenn z. B. der bestimmte Artikel vor dem Wort „Kirche" weggelassen wird (nicht „die Kirche ist . . .", sondern: „Kirche ist . . ."), so wirkt das geballter, bedeutsamer, eindringlicher, aber nicht unbedingt von der Sache her, sondern durch eine Sprachmutation. Und wer häufiger das „Wort zum Sonntag" hört, wird beobachten können, wie da gewisse Formen des Redens institutionalisiert werden: Beginn mit einem alltäglichen Fall („Neulich traf ich einen Bekannten . . ."), Verallgemeinerung ins Menschliche überhaupt, und dann am Schluß, meist sehr behutsam, die christliche Nutzanwendung. Im ganzen: Was einer glaubt und wie einer glaubt, läßt sich von der Art seines Sprechens nicht trennen.

Wenn nun aber die Welt des Religiösen ihre eigenen Satz-Regelsysteme und Diskursarten entwickelt, so tritt sie damit in Konkurrenz zu anderen, außerreligiösen Sprachspielen. Ein Fall aus jüngster Zeit: *Eugen Drewermanns* Kritik an den Herrschaftsformen der Kirche, vor allem im pastoralen Bereich. Da wird mit Denkmodellen und Sprachmustern der Psychoanalyse gearbeitet, was sicherlich legitim ist, aber es drängt sich die Frage auf, ob der entstehende Widerstreit das Phänomen kirchlicher Autorität überhaupt zureichend in Rechnung setzen kann, wenn er es sofort den Maßstäben tiefenpsychologisch verstandener Unterdrückungsmechanismen zuordnet. Der Widerstreit zweier Diskursarten kann nicht so erfolgen, daß die eine in die andere eindringt und sie zu paralysieren sucht. Reduktionistische Sprachspiele solcher Art zeigen, wie Vernunft gerade *nicht* tätig sein sollte. Pluralismus wird dabei aufgegeben zugunsten eines Denkens, das nur *eine* Orientierung zuläßt und in Gefahr gerät, totalitär zu werden. Und die Behauptung, hinter kirchlichen Autoritätsansprüchen stecke nichts anderes als unbeugsamer Wille zur Macht, ist ihrerseits ein Versuch, verbale Macht gegen die Kirche auszuüben.

All diese Hinweise zur Rolle der Sprache sind nicht nebensächliche Randbemerkungen. Wenn es denn zutrifft, daß der Mensch ein sprechendes Wesen ist und nur durch seine Sprache so etwas wie „Welt" hat, dann ist auch die Theologie an die Sprache gebunden. Und wenn ferner die Sprache kein in sich geschlossenes Universum ist, sondern nur immer in der Vielfalt möglicher Sprachformen (Sprachspiele!) mit ihren jeweiligen Satz- und Regelsystemen auftritt, wobei sich die Systemstrukturen überdies noch geschichtlich wandeln, dann kann das theologische Sprechen davon nicht ausgenommen sein. Entsprechendes gilt für die Vernunft. Auch sie ist kein stummes Beharren irgendwo in der Sphäre abstrakter Ideen, sondern wird vernehmbar nur in der Sprache und durch die Sprache. Das Verhältnis zwischen Glauben und Denken, zwischen Theologie und Philosophie (oder wie immer man die Alternativen wählt) *wird durch jeweils geschichtlich bedingte Formen des Sprechens entwickelt,* und es kann dabei sehr verschieden ausfallen. Allein das Wort „Gott" erscheint in unendlich vielen Facetten, und niemand sollte meinen, es in der einzig richtigen Weise zu gebrauchen.

Ein derart pluralistisches Sprachverständnis scheint die Welt hoffnungslos aufzusplittern, nicht nur in unterschiedliche Seins- und Denkformen. Auch die Glaubenswahrheit wird zu einer Wahrheit unter vielen, beliebig austauschbar. Aber die Situation ist ambivalent. In gewissem Sinne bewahrt sie sogar den Glauben vor Zugriffen wissenschaftlicher Rationalität. *Kurt Hübner* hat das am Beispiel der Bultmannschen „Entmythologisierung" zu zeigen versucht. *Bultmann* habe – so Hübners These – das Mythische aus dem christlichen Glauben verbannen wollen, um diesen Glauben in einer wissenschaftsorientierten Zeit retten zu können. Nach *Hübner* ist aber die Rationalität der modernen Wissenschaften nichts Selbstverständliches, sondern durch historische Prozesse bedingt, also letztlich kontingent: „Es gibt überhaupt keinen theoretisch zwingenden, auf Wissenschaft oder Philosophie verweisenden Grund, die mythischen Grundelemente des christlichen Glaubens abzulehnen, da Wissenschaft und Philosophie nur eine bestimmte, historisch vermittelte Wirklichkeitsdeutung darstellen, die nicht den Anspruch erheben kann, die einzig mögliche zu sein."[62]

[62] K. Hübner, Die Wahrheit des Mythos, München 1985, 343.

Man kann also ohne weiteres an die mythischen Elemente in der christlichen Religion glauben, ohne ein sacrificium intellectus – einen Verstoß gegen die intellektuelle Redlichkeit – zu begehen. Formal gesehen, ist das richtig. Aber das pluralistische Versprechen, das so vernünftig scheint, trügt. Im Detail ist alles viel schwieriger, als es zunächst aussieht. Natürlich sind die Denk- und Verfahrensweisen der modernen Wissenschaft (der Naturwissenschaft zumal) historisch vermittelt und nicht notwendig im absoluten Sinne. Aber damit verfallen sie nicht der Beliebigkeit. Wir können den Platz, den wir als unseren vorfinden, nicht einfach verlassen und zu vergangenen Denkmustern wegtauchen. Zwar mögen wir den widersprüchlichen Theorien moderner Kosmologie mißtrauen. Wir haben sogar unsere eigenen Mythen, etwa den Wirtschaftsmythos von den heilenden Kräften des Marktes, aber wir können nicht wieder „mythisch" werden und das Rad der Geschichte um zweitausend Jahre zurückdrehen.
Genau hier beginnen die Probleme der *theologischen Vernunft.* Sie kommt nicht daran vorbei, daß wir anders denken als frühere Generationen. Sie kann sich aber den Pluralismus der Postmoderne nicht so zunutze machen, daß sie sagt: Wenn alles möglich ist, ist auch der Glaube möglich. Sie kann sich nicht auf tradierte Sprachspiele zurückziehen und weiterhin ihre sakrale Diktion pflegen, als ginge sie die Geschichte nichts an. Sie kann auch nicht eine Art „Supervernunft" für sich beanspruchen, die über allen anderen „Vernünften" steht. Wenn für sie *Vernunft* eine Geltung haben soll, wird sie die Risiken des Vernünftigen eingehen müssen.
Vernünftig sein zu können, erscheint dem Menschen für gewöhnlich als etwas Selbstverständliches (vgl. Kap. II, 1). Indem er sich als vernünftig versteht, wendet er sich an die Welt und nimmt ihre Herausforderungen an. Aber der innerweltliche Gebrauch von Vernunft kann ihn nicht darüber belehren, woher Vernunft als solche kommt, was sie ihrem Wesen nach ist und wohin sie führt. Zwar gibt es die biologische Antwort, Vernunft gehöre zum Menschen als Eigentümlichkeit seiner Sonderstellung im Tierreich; sie sei Ergebnis seiner einzigartigen Evolution und ermögliche ihm, nicht nur zu leben, sondern auch sein Leben zu „führen" *(A. Geh-*

len). Aber die biologischen Hinweise sind an die besondere Verfahrensweise einer Einzelwissenschaft gebunden, die vom Menschen nur aus dem Blickwinkel ihrer Methodik, d.h. ihrer speziellen Art von Hypothesenbildung, reden kann. Über den Rahmen, der ihr dadurch gesetzt ist, kann die Biologie als Fachwissenschaft nicht hinausgehen, auch dann nicht, wenn sie als „Anthropologie" vom Menschen redet. Am Ende reduziert sich die Vernunft auf eine physikochemische Neuronentätigkeit in der Großhirnrinde.
Gewiß ist sie auch das. Aber sie ist es so, wie Liebe als geschlechtliche Erregung eine Art von Hormonausschüttung ist, d.h. nur nach dem für den Menschen unerheblichsten Aspekt ihres Wesens betrachtet. Worin aber das Wesen der Vernunft, ihre Herkunft und ihr Sinn liegen, kann die Vernunft selbst nie mit letzter „Gründlichkeit" sagen, einfach deshalb nicht, weil sie zwar Gründe suchen kann, die Verhältnisse *außerhalb* ihrer, also in objektiven Sachverhalten, betreffen: ihrem eigenen Grund gegenüber bleibt sie auf eigentümliche Weise blind. Niemand erfährt die Herkunft seiner Vernunft an sich selbst; sie ist jedem aus dem Dämmerlicht einer noch „unvernünftigen" Kindheit her gegeben und findet im Tod ihre Grenze. Alle Vernunft ist in diesem Sinne *endlich.* Aber sie gibt sich mit dieser Endlichkeit nicht zufrieden; das Verlangen, der Endlichkeit von Vernunft selbst auf den Grund zu gehen, weckt Fragen, denen der Mensch wie unter dem Zwang einer inneren Notwendigkeit nachzuforschen sucht, und solche Fragen betreffen ihn nicht nur im Sinne einer individuellen Existenz (Warum bin ich gerade der, der ich bin? Auf welches Ziel hin ist mein Leben angelegt?), sondern berühren das Mensch-Sein überhaupt, ja sogar alles Sein schlechthin: Warum ist überhaupt etwas und nicht nichts?
Solche – nach Kant der Vernunft durch ihre eigene Natur aufgegebenen – Fragen rühren an „letzte Dinge", die nach traditionellem Verständnis Sache der Theologie und des Glaubens sind. Das heißt nun nicht, da werde am Ende ein irrationaler „Sprung" gefordert. Auch die Theologie muß insofern „vernünftig" bleiben, als sie im Sinne der von ihr beanspruchten Wissenschaftlichkeit ihre Aussagen nicht an einer besonderen Art von Wahrheit („Glaubenswahr-

heit" contra „Vernunftwahrheit") festmachen kann. Wollte sie das tun, entzöge sie sich – früher oder später – jedem rationalen Diskurs. Auch wenn sie ihre Sache so betreibt, daß sie das, was sie sagt, nicht mehr auf sich selbst, sondern auf Offenbarung, auf das Wort Gottes oder was auch immer zurückführt, bleibt ihr nicht erspart, eben diese Rückführung vor der Vernunft zu rechtfertigen. Dieses Geschäft ist heute schwierig geworden. Angesichts der Pluralität vieler „Vernünfte" (sprich: vieler Rationalitätsformen) bleibt es nicht aus, daß die Theologie – und in weiterem Sinne der Glauben – das, was dort „Vernunft" heißen soll, erst einmal angeben und ausweisen muß, und zwar im Hinblick auf die Möglichkeit, das Gespräch mit dem Nicht-Theologen (und in weiterem Sinne mit dem, der dem Glauben fernsteht) weiterzuführen. Konkret fordert das ein Ernstnehmen solcher Rationalitätsformen, wie sie vom heute herrschenden wissenschaftlichen (speziell: naturwissenschaftlichen) Denken praktiziert werden. Damit ist keine modische Anpassung gemeint. Aber der Theologe wird am überzeugendsten bei seiner Sache bleiben können, wenn er die Sache der anderen (der Physiker, der Biologen, der Techniker) in sein Denken aufnimmt. Erst dann wird es ihm möglich sein, in Gemeinsamkeit mit anderen die Fragestellungen zu entwickeln, die jeweils von jedem Punkt des Interesses aus auf das Grundsätzliche zielen. Denn nicht in fertigen Aussagen liegt das Verbindende unterschiedlicher Rationalitätsformen, sondern in der je und je herrschenden Offenheit für die Gewinnung neuer Horizonte des Fragens. So wie das wissenschaftliche Denken sich seiner Natur nach als Bildung von Hypothesen begreift, kann auch die im Theologischen und letztlich im Glauben liegende Art von Vernunft sich dadurch ausweisen, daß sie immer wieder die Möglichkeit des In-Frage-Stellens offen hält. Geschieht das, dann wäre die theologische Vernunft grundsätzlich anders als das, was sich in abgeschlossenen Weltanschauungen, Ideologien und Heilslehren anbietet. Sie würde sich in vernünftig gestellten Fragen besser bewähren als in vorgefertigten Antworten.

Um auf das Beispiel des Wanderers zurückzukommen (Kap. II, 5): Er wurde als jemand geschildert, der sich in eine ihm völlig fremde

Gegend versetzt sah und dort nach Orientierung suchte. Seine Vernunft riet ihm, eine Strategie der Wegsuche zu entwickeln, z. B. den höchsten Punkt zu erklimmen, um seinen Horizont zu erweitern. Nun aber kann er auch fragen: „Wo kam ich her? – Wo soll ich hin?“ Diese Fragen betreffen keine Dinge (Orientierungspunkte) *in* der Landschaft, sondern „letzte Dinge“, die ganz außerhalb seines Horizontes liegen mögen. Gesetzt nun, eine Stimme ruft ihm zu: „Dort kamst du her – dort sollst du hin!“, so könnte er meinen, Gott selbst spräche zu ihm. Aber wie soll er wissen, daß es wirklich Gott war und nicht ein böser Dämon, der ihn nur täuschen will? (Schon *Descartes* hatte das Argument vom *deus malignus* – dem übelwollenden Gott – in die Debatte gebracht.) Hier nützt es wenig, die Stimme zu fragen, von wem sie komme: Sie könnte immer weiter fortfahren zu betrügen. Der Wanderer wird *sich selbst* fragen müssen, ob er der Stimme vertrauen dürfe, er wird Hypothesen entwerfen, sie prüfen und kritisch sein. Und wenn er sich sagt: Ich *vertraue* der Stimme, so wird er seine Gründe dafür haben. Ist dieser Wanderer ein Theologe? Wenn seine Gründe sich durch eine von der Situation her vernünftige Vernunft rechtfertigen lassen (d. h. eine solche, die nicht zu überspringen ist, weil sie in der Geschichte des Wanderers liegt), darf man die Frage mit „ja“ beantworten.

Was allem Dasein, ja, dem Sein im Ganzen, Ursprung und Grund gibt, kann keine Vernunft sagen, weil sie selbst in dieses Dasein verflochten ist. Aber sie kann ihre Stärke darin erweisen, daß sie dem Glauben, da sei ein Grund, nicht feindselig widerspricht, sondern ihm den Weg offen hält.

Personenregister

Weitere Bände aus der Reihe Unterscheidung:

Siegfried Böhringer
Astrologie
Kosmos und Schicksal
1990. 160 Seiten. Kartoniert

Thomas Broch
Pierre Teilhard de Chardin
Wegbereiter des New Age?
1989. 188 Seiten. Kartoniert

Bernhard Wenisch
Satanismus
Schwarze Messen – Dämonenglaube – Hexenkulte
1988. 2. Auflage 1989.
152 Seiten. Kartoniert

Weitere Bände aus der Reihe Unterscheidung:

Wolfram Janzen
Okkultismus
Erscheinungen – Übersinnliche Kräfte – Spiritismus
1988. 2. Auflage 1989.
152 Seiten. Kartoniert

Reinhart Hummel
Reinkarnation
Weltbilder des Reinkarnationsglaubens und das Christentum
1988. 2. Auflage 1989.
128 Seiten. Kartoniert

Josef Sudbrack
Mystik
Selbsterfahrung – Kosmische Erfahrung – Gotteserfahrung
1988. 2. Auflage 1988.
160 Seiten. Kartoniert